Éditions Druide
1435, rue Saint-Alexandre, bureau 1040
Montréal (Québec) H3A 2G4

www.editionsdruide.com

RELIEFS

Collection dirigée par
Anne-Marie Villeneuve

# L'OREILLE ABSOLUE

**Catalogage avant publication de Bibliothèque et Archives nationales du Québec et Bibliothèque et Archives Canada**

Boutin, Mathieu, 1961-
L'oreille absolue : roman
(Reliefs)

ISBN 978-2-89711-043-7
I. Titre.

PS8553.O887O73 2013 C843'.6 C2013-940406-6
PS9553.O887O73 2013

Direction littéraire : Anne-Marie Villeneuve
Édition : Luc Roberge et Anne-Marie Villeneuve
Révision linguistique : Lyne Roy et Isabelle Chartrand-Delorme
Assistance à la révision linguistique : Antidote 8
Maquette intérieure : www.annetremblay.com
Mise en pages et versions numériques : Studio C1C4
Conception graphique de la couverture : Gianni Caccia
Photo de la couverture : © 315 studio by khunaspix/Shutterstock.com
Photographie de l'auteur : Maxyme G. Delisle
Diffusion : Druide informatique
Relations de presse : Patricia Lamy

L'auteur remercie le Conseil des arts et des lettres du Canada pour son soutien.

ISBN papier : 978-2-89711-043-7
ISBN EPUB : 978-2-89711-044-4
ISBN PDF : 978-2-89711-045-1

Éditions Druide inc.
1435, rue Saint-Alexandre, bureau 1040
Montréal (Québec) H3A 2G4
Téléphone : 514-484-4998

Dépôt légal : 1er trimestre 2013
Bibliothèque nationale du Québec
Bibliothèque nationale du Canada



Imprimé au Canada

Mathieu Boutin

# L'OREILLE ABSOLUE

*Roman*

Druide

*À mon frère, Jean Boutin, sur la tête duquel*
*on cassa un jour un archet de violoncelle.*

*Aux deux amours de ma vie,*
*Clara Vi Boutin et Pascale Montpetit.*

*À mes amis Jean-François, Mario et Steven.*
*Vous ne comprenez rien à mon art, et je vous méprise.*

*À Maurice et Mariette.*

*Outside of a dog, a book is a man's best friend.*
*Inside of a dog it's too dark to read.*
(En dehors du chien, le livre est le meilleur ami de l'homme.
À l'intérieur du chien, il fait trop noir pour lire.)

Groucho Marx

# NOTE

Plusieurs des renseignements portant sur les traits d'orchestre mentionnés dans le chapitre 12 proviennent de l'enregistrement *Orchestral Excerpts for Violin*, par *William Preucil*, mars 2008, étiquette Summit Records.

# CHAPITRE 1

Verlaine avait vu juste. Même que, plus les jours raccourcissaient, plus les sanglots des violons s'allongeaient. Cœur blessé ? Peut-être. Pas de langueur monotone, cependant. Plutôt une sourde frustration due à une série de contrariétés.

Chose certaine, David n'avait ni l'équipement ni le moral requis pour affronter cette soirée d'automne. Pas de parapluie, pas d'imperméable — malgré le vent têtu et la pluie qui le persécutaient, ces salauds —, son beau smoking tout mouillé, l'estomac dans les talons de ses petits souliers vernis, sans compter cette âme maudite qui venait de le lâcher.

L'arrêt était inévitable. David devrait faire très vite parce qu'il était déjà en retard et il allait se faire engueuler.

Son étui comme seul bouclier face aux éléments, il marchait tête baissée pour mieux repérer les flaques d'eau et — très habilement — tenter de les éviter. Sans trop de succès, d'ailleurs. Il n'avait pas fait deux coins de rue qu'il avait déjà les pieds complètement détrempés.

La chanson de Purcell qui parvenait de son iPod à ses oreilles essayait vainement de le convaincre que la musique efface tous les soucis. « *Music for a while, shall all your cares beguile...* », lui susurrait la haute-contre de service.

« Oh toi, ta gueule... », pensa le jeune homme en arrachant ses écouteurs.

Il espérait que ce serait encore ouvert, même s'il était déjà presque vingt heures. En vérité, il avait relativement confiance que ça le soit. L'atelier de Sylvain n'était jamais tout à fait fermé : d'une part, il habitait au-dessus ; d'autre part, en restant ouvert presque jour et nuit — ce qui, pour un luthier, est assez rare —, Sylvain espérait ainsi ne laisser aller qu'un minimum de clients à la concurrence. C'était son génial plan d'affaires. Et, d'après ce qu'on pouvait en juger, ça marchait assez. Cela dit, avec le genre de journée qu'il avait eu jusqu'ici, David n'aurait pas été surpris de se cogner le nez sur une porte close.

Il arriva enfin. La vitrine était illuminée et on distinguait des silhouettes. David entra sans sonner, l'absence de sonnette facilitant la manœuvre.

Les heures de commerce que l'atelier de Sylvain pratiquait attiraient beaucoup de monde, mais pas nécessairement des clients. On y achetait volontiers des cordes, on y faisait remécher son archet quand on ne pouvait faire autrement, mais pour les travaux délicats, si on en avait les moyens, on préférait confier son bébé à *l'autre luthier* (dont on ne prononçait jamais le nom chez Sylvain), Paul Collin.

Ce n'est pas qu'on ne faisait pas confiance à Sylvain… En fait, c'était tout à fait ça. On ne lui faisait pas vraiment confiance. Il adorait la compagnie des musiciens et il ne leur demandait jamais beaucoup pour les petits travaux qu'ils lui confiaient. C'est peut-être ce qui le rendait suspect. Chez Collin, c'était autre chose. On ne s'y rendait que sur rendez-vous et on devait rencontrer bien des apprentis et des compagnons avant d'avoir affaire au maître, et encore, seulement si votre instrument le méritait. On y faisait de magnifiques réparations, disait-on. C'est en tous cas ce que la facture et les explications des artisans assuraient au client.

Pour les petits travaux d'entretien, et surtout pour rencontrer les copains, on allait donc à La chanterelle, le nom idiot que Sylvain avait donné à son atelier de lutherie, désignant pour les initiés la corde la plus aiguë du violon, mais pour le commun des mortels, un savoureux champignon. Par conséquent, il n'était pas rare que des baby-boomers gourmands ouvrent la porte de l'atelier, espérant y trouver une épicerie fine ou un restaurant. Le monde qu'on voyait rassemblé en entrant, parfois un verre à la main, ajoutait d'ailleurs à la confusion. Ils étaient nombreux, en effet, les musiciens qui aimaient se retrouver à La chanterelle avant ou après les *gigs* et les concerts, pour se raconter leurs exploits. La machine à espresso était constamment sollicitée et, les étuis de violoncelle ou d'alto recelant parfois quelque flacon dans leurs nombreux compartiments, le café était souvent bien arrosé.

David n'était pas fâché d'arriver au chaud et au sec, mais, comme il était vraiment pressé, il se dirigea tout de suite au comptoir où Sylvain était accoudé, discutant avec une jolie rousse qui tentait probablement d'obtenir une réparation gratuite contre ses beaux sourires. D'un subtil coup de coude, David invita la fille à lui céder la place et il déposa son étui tout dégoulinant sur le présentoir vitré.

Le jeune homme se doutait que son entrée en coup de vent et la manière cavalière avec laquelle il s'était frayé un chemin pour déposer son instrument — comme un enfant blessé sur une civière — laissaient présumer quelque mystérieux accident, et c'était tant mieux. Il y avait urgence. Le silence se fit parmi la poignée de spectateurs. Ils se rapprochèrent pour mieux voir.

David dézippa l'étui et extirpa le violon de son écrin de velours.

— C'est mon âme..., annonça-t-il.

Il saisit son instrument par la volute d'une main et la mentonnière de l'autre et le fit balancer délicatement sur un axe horizontal.

— L'âme est tombée. Écoute...

Tous tendirent l'oreille.

*Rrrrr-toc... Rrrrrr-toc...*

Cette triste séquence sonore était caractéristique d'une âme qui est tombée et qui roule — qui erre, plutôt (le dindon glousse, la poule caquette et l'âme erre) — entre la table d'harmonie et le fond du violon. Ce n'était peut-être pas une tragédie ; un artisan habile pouvait, avec les bons outils, y remédier sans trop de difficulté. Mais cela constituait néanmoins une mauvaise nouvelle.

On n'appelle pas ce petit bout de bois l'*âme*, pour rien. Les Anglais, flegmatiques, ne le nomment peut-être que *sound post*, mais les Italiens, qui s'y connaissent un peu en matière de lutherie, l'ont baptisé *anima*. C'est dire. La voix, la personnalité d'un violon auquel on s'est attaché, peut ne tenir qu'à l'endroit exact où cette âme se poste. La déplacer d'un poil et on peut ne plus reconnaître l'être aimé. Comme ces mouvements de l'âme humaine, à peine perceptibles, mais que le compagnon ou la compagne de longue date détecte parfois.

« Ça va ?

— Oui, ça va. Pourquoi ?

— Je ne sais pas. On dirait que tu as quelque chose de changé.

— De changé ? Mais non, tu t'en fais pour rien. Allez, bonne nuit.

— Tu as sans doute raison. Bonne nuit. »

Mais il est trop tard. La méfiance s'est installée.

À l'inverse, c'est aussi la raison pour laquelle une oreille fine n'oublie jamais la voix d'un violon qu'elle a aimé.

Sylvain prit le violon dans ses grosses pattes de luthier pour l'examiner. Il prenait son temps, le bougre, retournait l'instrument de tous les côtés, en scrutait les moindres recoins. Des clients potentiels le regardaient ; il ne voulait pas rater l'occasion de bien paraître.

— Hmm. Il faudrait niveler la touche un de ces quatre. Il y a des ornières…

— Oui, c'est bon. On verra, lui dit David, mais là, je suis en retard pour une *gig* et je peux pas jouer comme ça…

— OK. Je disais juste qu'il faudrait que tu l'entretiennes un peu mieux que ça, ton Jules Leclais.

Un Jules Leclais, ce n'était peut-être pas un Strad, un Guarneri ou un Amati, mais c'était quand même parmi les instruments intéressants que Sylvain avait l'occasion de toucher. On était loin des Ferrari et autres Maserati qui se retrouvaient chez Collin, mais un violon Jules Leclais ça valait tout de même le prix d'une Fiat 500, y compris la climatisation, pour certains de ses instruments particulièrement réussis. Celui de David faisait partie de la série Enesco. Dans les années 1930, le luthier français Jules Leclais en avait fabriqué quelques-uns, sur le modèle du Stradivarius du violoniste roumain George Enesco, à chacun desquels il avait donné le nom d'une des muses de la mythologie grecque. Le sien, c'était « Clio », la muse de l'Histoire. C'était un beau violon, dans les tons de rouge, large d'épaules et, comme beaucoup de Jules Leclais, doté d'une puissante sonorité, mais pas particulièrement subtile. Pour se faire entendre au-dessus du tumulte d'un restaurant bondé, c'était parfait. Dans un orchestre, on avait avantage à bien connaître ses traits, car il était difficile de passer inaperçu.

David l'avait reçu en héritage, à la mort d'un grand-oncle, lorsqu'il avait treize ans. Selon la légende familiale, ce grand-oncle, Rodrigue, était tombé amoureux d'une jeune musicienne lors d'un séjour en France à la fin des années 1950. Il faisait partie d'une délégation canadienne à une conférence de l'OTAN qui se déroulait à Paris. Dans certaines versions de l'histoire que David avait entendue des centaines de fois, on disait que Rodrigue avait rencontré la jeune femme sur le bateau qui les menait en Europe. Le jeune musicien avait aussi été témoin de discussions entre certaines des vieilles tantes de ses propres parents voulant que cette version aurait été influencée par le film *An Affair to Remember*, sorti en 1957. Tout n'était donc pas clair. Ce qui semblait certain, c'est que Rodrigue avait, disait-on, « du Cary Grant dans le regard », une phrase qui revenait comme un *leitmotiv* chaque fois que l'histoire était racontée, mais dont David ne comprit la signification que lorsqu'il vit *North by Northwest* pour la première fois, à la télévision, très tard un dimanche soir. Quoi qu'il en soit, on rapportait également que c'était pendant son séjour à Paris que le séduisant oncle Rodrigue s'était procuré le violon. Ses fonctions d'interprète — et non de diplomate, ou même d'ambassadeur, comme on était déjà allé jusqu'à affirmer — l'avaient amené à prolonger son séjour bien au-delà de la tenue de la conférence. C'est pendant ces six mois ? Un an ? Deux ans ? — David l'ignorait — que l'oncle Rodrigue avait eu cette liaison avec la jeune musicienne. Une idylle au centre de laquelle le violon de David, le Clio, avait, dit-on, joué un rôle important.

Bien que l'instrument appartienne à David de plein droit depuis son adolescence, ce violon avait été investi, pendant près de soixante années, d'une telle charge romanesque par sa famille qu'il ne pouvait imaginer le vendre, même s'il s'était parfois surpris à rêver de l'échanger contre un bon instrument de moindre prix et, par exemple, s'acheter une voiture d'occasion avec le profit réalisé ou carrément déposer cette somme à la banque. Ce scénario était tout simplement impossible, et ce, même si le père de David n'approuvait pas le choix de carrière de son fils.

Mais voilà que Sylvain faisait pivoter le Clio au-dessus de l'établi et le secouait comme une tirelire dont on voudrait extraire la monnaie, jusqu'à ce que l'âme sorte par une des ouïes.

Ça fit *dignelignebignedigne* pendant un moment, et puis :

— La voilà !

Le luthier s'installa ensuite sur un tabouret, le violon sur ses genoux. Il abaissa une lampe tout près pour éclairer le champ opératoire. Il introduisit un miroir de dentiste par une des ouïes et par l'autre, une *pointe aux âmes* (David apprenait du coup le nom de la chose — il aurait dit un autre instrument de dentiste ou de gynécologue — parce que Sylvain faisait le cadeau de la narration de son intervention au fur et à mesure, comme à la télé) sur laquelle il avait piqué le bout de bois afin d'aller le replacer à l'endroit voulu, dans le ventre du violon, pas loin de la verticale du chevalet.

L'opération n'avait pas pris plus de deux minutes. Il tendit l'engin à son jeune client pour qu'il procède aux ajustements de sonorité.

— OK. Essaie.

David prit le violon, mais plutôt que de se le glisser sous le menton pour en jouer, il le remit aussitôt dans son étui qu'il s'empressa de fermer et de rezipper.

— Vraiment pas le temps. Merci beaucoup, mais je suis en retard. Je repasserai pour les ajustements, ça va ?

David voyait bien qu'il lui faisait de la peine, surtout à cause de la rousse qui regardait le luthier attentivement, mais Sylvain ne se formalisa pas davantage de sa précipitation.

— Pas de problème. Reviens demain.

Il prit son bagage et, juste comme il allait franchir la porte, il sentit qu'on lui tapait sur l'épaule.

— C'est où votre concert ?

C'était Robert Dubreuil, un des *backbenchers* grisonnants de l'orchestre symphonique que David avait déjà aperçu ici, mais ils ne se connaissaient pas vraiment.

— Euh, c'est pas un concert, c'est au restaurant La tomate.

— Mon auto est juste là, je vous dépose, si vous voulez.

Avec la pluie et la distance, il ne pouvait refuser une telle offre. David salua la compagnie et courut derrière son sauveur jusqu'à sa voiture, une Fiat 500, justement. Rouge, comme il se doit. Il ouvrit la portière et constata que les sièges, le tableau de bord et même le volant de la voiture étaient blancs. David aurait choisi une autre couleur, mais il se retrouvait néanmoins de nouveau au sec, son étui de violon dans les bras.

## CHAPITRE 2

Il ne devait pas voir de monde très souvent, Dubreuil, parce que dès qu'ils furent en route il se mit à raconter sa vie à son jeune passager, avec beaucoup trop de détails.

Il lui raconta qu'il s'était arrêté à La chanterelle sous prétexte d'y acheter un bloc de colophane, cette résine sur laquelle on frotte la mèche de l'archet pour que les crins puissent faire vibrer les cordes et ainsi produire un son. Un bloc dure assez longtemps. Des années, ou jusqu'à ce qu'on l'échappe par terre et qu'il se brise en mille morceaux ou qu'on le prête à quelqu'un qui oublie de nous le remettre.

David ne voyait pas pourquoi Dubreuil disait « sous prétexte » parce que, franchement, tout le monde était en principe le bienvenu chez Sylvain, nul besoin de prétexte. Pas que David ait voulu le savoir, mais son chauffeur lui confia aussi que le plaisir qu'il ressentait à entendre les conversations de ces jeunes musiciens était parfois teinté « d'une espèce de gêne, voire de culpabilité », comme s'il n'était pas à sa place.

« Un peu comme moi, donc, dans sa Fiat, à écouter ses confidences », pensa David.

Robert aimait bien son métier de violoniste, disait-il, mais il n'avait jamais vraiment été un grand mélomane, en tous cas, pas comme ceux qu'il rencontrait chez Sylvain. Sur quoi il éclata d'un grand rire, comme s'il venait de pondre une blague géniale.

Il aurait pu exercer bien d'autres métiers avec le même détachement, continua-t-il, mais celui de violoniste lui avait été, jusqu'à un certain point, imposé.

David sentait qu'il y avait une autre histoire formidable là-dessous, mais il se retint super facilement de lui demander des précisions.

Il commençait à le trouver un peu *creepy*, le bonhomme, mais, déjà en retard, il n'était malheureusement pas en position pour dire à son chauffeur de se taire et de presser le pas et il n'osa pas ouvrir la bouche non plus quand il constata que Robert n'avait pas pris le chemin le plus court pour se rendre à La tomate.

Malgré tout, il eut bientôt l'agréable surprise de constater que la voiture était dotée de sièges chauffants. Le paradis, dans son humide situation. Alors il se tut.

Robert Dubreuil continua son monologue, ce qui donnait à David l'impression d'assister à une conférence à laquelle il ne s'était pas inscrit.

— À mon avis, il y a trois catégories de musiciens : les doués qui adorent la musique, les médiocres qui adorent la musique et enfin les doués, comme moi, pour qui la musique n'est qu'une façon comme une autre de gagner correctement sa vie.

David osa risquer une question, mais il se fit répondre sèchement qu'il n'y avait pas de quatrième catégorie.

— Ceux qui ne sont que de médiocres musiciens et qui en plus n'ont pas d'intérêt spécial pour la musique n'existent tout simplement pas ! L'entraînement d'un instrumentiste est trop ardu, trop long, et la garantie d'en recueillir les fruits, trop aléatoire pour qu'on puisse subsister de quelque façon sans une quelconque combinaison de talent et de passion.

David se demanda dans quelle catégorie il se situait, ou celle dans laquelle Dubreuil devait penser qu'il se trouvait.

Il y eut un petit malaise et un bon moment se passa en silence, si ce n'est du va-et-vient des essuie-glaces qui rythmait une espèce de samba, incongrue dans les circonstances. David compta au moins seize allers-retours.

Robert Dubreuil semblait faire exprès pour prendre son temps. Il ne profitait jamais des trous dans la circulation, il laissait passer tout le monde, il s'arrêtait dès que le feu passait au jaune. À l'intérieur, David s'énervait.

Dubreuil fit jouer un CD. C'était le deuxième mouvement du *Concerto en ré mineur* de Bach. Pour deux violons.

Après quelques mesures, juste au moment où le premier violon reprend le thème exposé par le second depuis le début, le conducteur sortit de son silence. Il se racla la gorge, comme s'il s'apprêtait à annoncer quelque chose d'important.

— J'avoue avoir été ému de voir ce beau jeune homme en smoking détrempé…

« MOI ? ? » pensa David.

— … arriver en catastrophe faire soigner *in extremis* son violon malade alors qu'un engagement, sans doute très mal payé, l'attendait…

Là, David trouvait qu'il exagérait.

« Mais comment est-ce qu'il parle ? »

C'est vrai que ce n'est pas très bien payé, mais David n'aimait pas qu'on porte un tel jugement sur son honorable gagne-pain.

« Est-ce qu'il a bien dit *beau jeune homme* ? »

Robert poursuivit sur sa lancée.

— Il y avait longtemps que je n'avais pas senti de semblable urgence, j'en étais presque jaloux, avoua-t-il encore.

Et c'est à ce moment qu'il décida de poser sa main sur le genou du jeune musicien. Malheureusement, ce qu'il croyait être son genou était en fait le coin de sa caisse de violon, mais David saisit quand même l'intention. Dubreuil dut s'apercevoir de sa méprise parce qu'il retira sa main aussitôt.

Les essuie-glaces continuaient leur danse.

Sans doute pour se rattraper, Robert changea de sujet.

— L'orchestre est en congé cette semaine. J'en ai profité pour visiter ma mère tous les jours. C'est chaque fois pénible et déchirant, mais je n'ai pas le choix, soupira-t-il.

Du fond de son siège chauffant, David se dit que la tentative de flirt avec son étui n'était probablement pas mal intentionnée. Maladroite, sans doute. Plutôt flatteuse. Mais, cela ne lui rendait pas le bonhomme sympathique pour autant. Dieu sait qu'il avait déjà lui-même posé sa main là où on ne s'y attendait pas ou engagé un baiser qu'on ne voulait pas recevoir parce que le film dans sa tête n'était pas celui à l'affiche.

« Ce sont des choses possibles, pensa-t-il. Moi, c'est les filles, mais lui, on dirait que c'est les garçons. Et là, il semble que je plaise à cet étrange monsieur qui me reconduit à mon travail. J'ai connu pire. Pourvu qu'on finisse par arriver… »

Ne voulant pas amplifier le malaise ambiant, David décida de faire la conversation.

— Vous êtes dans l'orchestre depuis quand ?

— C'est ma vingt-sixième saison cette année !

David était franchement admiratif, mais il en mit quand même un peu plus, pour être gentil. Sauf que, dans son for intérieur, il se dit que vingt-six ans dans un orchestre, assis dans les rideaux, ça doit être long. Et plus encore si on compte les reprises, et les fois où l'orchestre accompagne des chanteurs, ou, pire encore, un concerto de Mozart pour clarinette. Il n'osait imaginer.

— Ça doit être *cool.*

— Oui, comme tu dis. Ça ne t'a jamais tenté, toi ?

L'orchestre, le symphonique, David n'y songeait pas trop. Par habitude. Parce que, avec les *gigs*, les petits ensembles et tout ça, il se débrouillait correctement. Bien que pas assez, aux yeux de son père. Puis ce n'était pas comme si les portes lui étaient grandes ouvertes. Des violonistes, il en pleuvait, et des chaises pour les asseoir dans l'orchestre, il y en avait peut-être une vingtaine. Et il y avait déjà quelqu'un d'assis dessus. Soliste, il n'en avait jamais été question. C'est un sort qui se joue très tôt. Probablement pendant la gestation. C'est pour ceux qui naissent avec un violon dans les mains. Ce qui rend l'accouchement extrêmement délicat. Ou dans les heures qui suivent, quand les fées font le tour de l'étage d'obstétrique et choisissent un berceau sur lequel se pencher. D'ailleurs elles ne se penchent à peu près jamais. Trop dur pour le dos.

— Je ne suis pas sûr d'avoir le niveau…

— T'es allé au Conservatoire?

— À l'université…

— Tu joues les grands concertos? Mendelssohn, Tchaïkovski?

— Joue, joue… «Je ne les joue pas en me levant le matin avant de me brosser les dents, si c'est ce qu'il cherche à savoir.»

— En tous cas, tu as travaillé le répertoire?

— Oui, quand même…

— Bon, alors…

— Alors?

— Alors rien. Tu es arrivé.

En effet, ils étaient en plein devant le restaurant.

Il pleuvait toujours autant.

«C'est bête. On va se quitter juste comme ça commençait à devenir intéressant», pensa David.

Robert Dubreuil éteignit les essuie-glaces. On entendait la pluie tapoter sur le toit.

Il tendit la main.

— Ça m'a fait plaisir de te rencontrer… David? C'est bien ça?

— Oui, David Hardy. Vous m'avez sauvé la vie. C'est super gentil.

— Oh, ce n'est rien, je…

Ne voulant pas qu'il recommence à lui faire des confidences, David coupa court. Il lui serra la main et sortit de la voiture.

— À la prochaine!

— C'est ça, merci!

David courut jusqu'à la porte de service qui donnait sur la ruelle. Heureusement elle était déjà entrouverte et il s'y faufila.

Il traversa la cuisine — où ça grouillait, ça gueulait et ça sentait le bon manger —, le vestiaire, passa devant les toilettes, puis aboutit dans une salle de réception où étaient empilés des tables, des chaises, d'immenses plateaux avec plein de verres et d'assiettes dessus.

« Notre loge pour la soirée. »

David reconnut la caisse du violoncelle de Juliette, avec ses autocollants de Bob l'éponge, et les étuis des autres. Leurs manteaux, bottes et parapluies étaient étalés un peu partout.

C'était une soirée privée. Un lancement, un anniversaire ou une collecte de fonds, on ne lui avait pas donné les détails. Tout ce qu'il savait, c'est qu'il aurait dû être là une bonne demi-heure plus tôt.

La trame sonore caractéristique de ce genre d'assemblée lui parvenait de la salle à manger. Les ustensiles qui se frottent aux assiettes, les glaçons dans les pichets qui dansent lorsqu'on verse l'eau dans les verres, le grondement des conversations et les éclats de voix. Puis il entendit des applaudissements. On venait de demander le silence, ou peut-être qu'un discours s'achevait ou allait commencer comme il arrivait. Il ne pouvait juger seulement à l'oreille.

David prépara son attirail comme un tireur d'élite. Il sortit son violon de son étui, tendit son archet. Il y frotta de la colophane, maintenant qu'on sait ce que c'est.

Dans l'embrasure de la grande porte par laquelle les serveurs et serveuses allaient et venaient, il aperçut ses camarades, installées près de la scène improvisée. Pour les rejoindre, il devrait passer devant plusieurs tables, contourner une grosse plante verte et longer l'estrade. Il ne pouvait pas franchir toute cette distance à découvert, en tous cas pas pendant les discours. Il se sentait comme un soldat qui tente de rejoindre son peloton, pris en embuscade. Il devait leur prêter renfort, peut-être leur apporter des vivres ? Sans lui, ils devraient rejouer en boucle la même sérénade de Haydn ou le canon de Pachelbel, une mort lente et cruelle.

À propos de vivres, un serveur venait justement de déposer un grand plateau d'assiettes d'antipasti tout près de lui. Le garçon attendait sans doute la fin des allocutions pour continuer le service.

Il vit David jeter un regard affamé sur les assiettes.

Il lui fit OK de la tête.

— Il y en a plein, lui dit le serveur. Mets-toi là, je vais t'apporter un couvert.

David était ravi. Il posa son violon et commença à manger tout en écoutant ce qui se disait de l'autre côté.

Peu importe l'engagement, c'était toujours le même discours. On remerciait, on voulait souligner, on serait bref, on ne pouvait toutefois passer sous silence, on félicitait, on avait besoin de notre soutien, elle allait nous manquer, on lui souhaitait la bienvenue et, sans plus tarder, on continuait de plus belle, avec une joie sans mélange et beaucoup de fierté.

Les orateurs de talent étaient une fois de plus restés chez eux ce soir. Le mauvais temps, peut-être.

Les discours se terminèrent enfin. David y vit la chance de tenter une percée. Il emballa quelques crevettes et un petit pain dans une serviette qu'il glissa dans sa poche et se mit en route.

Ses camarades avaient recommencé à jouer au signal de l'orateur, ce qui avait dû être convenu à l'avance. Ça le prenait un peu de court, mais il ne pouvait plus faire demi-tour. En chemin, David reconnut les premières notes de *Pompes et circonstances* d'Elgar, si bien que lorsqu'il arriva à sa place, il déploya son lutrin en moins de deux et ouvrit son cahier à la bonne page. Annie — l'altiste — lui dit « mesure 14 » entre les dents, et il emboîta le pas sans difficulté. Clothilde reprit sa ligne de second violon et tout rentra dans l'ordre. Même pas de blessés.

Annie était bien contente de le voir arriver, mais pas trop de son retard.

— Où est-ce que t'étais ?

— Chez Sylvain. Mon âme était tombée !

— T'es tout fripé !

— Moi aussi je suis content de te voir !

Les talents de ventriloque étaient très utiles, voire nécessaires, quand on jouait dans ce genre de soirées, où un certain décorum était de rigueur. On pouvait même s'étonner qu'on n'enseigne pas cette discipline dans les conservatoires.

Il était préférable de jouer avec le sourire, comme s'il y avait quelque chose de drôle ou de plaisant dans la partition, et il valait mieux qu'on n'entende pas les musiciens communiquer entre eux, surtout s'il s'agissait de commentaires à propos de la clientèle. D'où la nécessité de parler entre les dents, parce qu'échanger des remarques sur les clients était parfois la seule distraction qui rendait ces longues soirées supportables.

Pour de la musique d'ambiance, un quatuor à cordes devait être agréable à entendre tout en passant relativement inaperçu. Ou si on le remarquait, qu'il soit joli à regarder, donc : smoking pour les garçons, robes noires pour les filles.

Les trois filles avec lesquelles David jouait ce soir-là n'étaient peut-être pas toutes des beautés, mais elles avaient la vingtaine et étaient tout à fait regardables, si jamais les yeux des convives devaient se poser sur elles. Surtout Juliette, avec ses longs cheveux de miel qui dégoulinaient parfois jusqu'à la touche de son violoncelle et dans lesquels il lui arrivait de s'empêtrer les doigts en jouant. Et Clothilde n'était pas mal non plus.

Même si, en tant que premier violon, David était en principe le leader musical du groupe pour cette prestation, cela ne voulait pas dire grand-chose au sein de ce quatuor. C'est Annie qui en était le véritable patron, et David ne faisait après tout que remplacer la fille qui faisait le premier violon avec elles d'habitude. C'est lui que les musiciennes devaient regarder pour le tempo et le signal de départ du morceau, mais c'est Annie qui décidait à l'avance — mais surtout sur-le-champ — du répertoire qu'ils allaient jouer. Elle avait un flair redoutable pour jauger une salle et s'adapter aux fluctuations d'ambiance. Elle avait aussi concocté un *book* impressionnant, en plusieurs volumes, qui rassemblait des styles très variés.

Les autres ne savaient donc jamais trop à quoi s'attendre. Un mouvement d'un divertimento de Mozart pouvait être suivi d'un arrangement de tango ou d'une chanson à la mode qui tentait de se faire passer pour de la musique classique, à la *Con te partirò*, ou ce genre de sirop imbuvable.

Après les discours insignifiants qu'on avait entendus, Annie avait judicieusement opté pour Elgar afin de donner un peu de pompe à la circonstance et laisser l'impression aux convives qu'ils assistaient à un événement important.

Alors qu'ils achevaient le morceau, elle annonça la suite à ses collègues, entre les dents, toujours :

— *Baby doll.*

— ?

David sentit une petite chaleur monter derrière son nœud papillon. Il regarda Annie, qui lui fit un clin d'œil.

« Ah ! C'est un défi. La salope. *Challenge accepted.* »

Plutôt que de se démonter ou d'avouer son impuissance, David garda la tête froide : « *Baby doll* = petite chemise de nuit + connaissant le sens de l'humour d'Annie = petite musique de nuit = *Eine kleine Nachtmusik* = *Sérénade n*° *13 en sol majeur* de Mozart + coup d'œil à l'index = page 24 = sauvé ! »

Le temps qu'il tourne à la bonne page, ils attaquaient à son signal les premières notes de Mozart de la soirée. Si elle voulait lui faire payer son retard en lui tendant ce piège, c'était manqué.

Mais jouer ainsi avec les titres des pièces demeurait un sport dangereux. Surtout maintenant, alors que Juliette les avisait qu'elle avait repéré une table attentive.

— On nous écoute, à quatre heures… (signifiant une table à leur droite, leur propre position correspondant au six du cadran d'une horloge).

On les écoutait en effet.

Quand David regarda dans la direction indiquée, tout en jouant, il vit quelques personnes assises à cette table qui lui répondirent par un sourire.

Ce qui aurait dû être flatteur pouvait en fait être assez contrariant.

Un spectateur attentif à proximité signifiait qu'on devait arrêter de passer des commentaires sur les clients, qu'on ne pouvait rejouer deux fois la même pièce pour meubler le temps ni envoyer des textos entre deux mouvements. Piger dans sa poche pour manger une crevette était aussi hors de question dans ces conditions.

Après un moment, une des convives quitta la table et se dirigea vers les musiciens.

Juliette continuait de faire rapport.

— Le chignon s'en vient…

Il se trouvait toujours un client pour se rapprocher ainsi des musiciens, soit pour mieux les entendre, soit pour fuir la compagnie de ses congénères ou encore tromper l'ennui. Les demandes spéciales les plus originales se présentaient d'ailleurs souvent comme ça. Parmi les classiques du genre, notons le « Bordereau de Gravel », la « Flûte en santé », la « Symphonie du beau monde » et « Sonatina ». Cela dit, Annie répondait toujours avec la même extrême politesse et le même enthousiasme à toutes les demandes spéciales des clients, aussi stupides ou mal formulées soient-elles.

La musique éveillant les nostalgies, parfois le spectateur qui s'approchait ne faisait que chercher un ami ou une oreille sympathique.

« Vous savez, mon père jouait de la flûte à bec… »

« J'ai toujours voulu apprendre la guitare… »

« J'avais une très belle voix quand j'étais jeune... »

Ce coup-ci, c'était peut-être autre chose.

*Le chignon* venait de prendre place à une table vide, directement devant le quatuor. David l'aurait plutôt baptisée *les bijoux*, ou encore *la poitrine*, parce qu'un chignon, elle n'en avait qu'un, alors que pour ces autres accessoires, elle en avait beaucoup. Tout en restant fort élégante, cela dit. David aurait parié qu'elle sentait bon.

À vue de nez, elle devait avoir dans la cinquantaine. La svelte et blonde cinquantaine. Ses mains jointes posées sur la table, elle écoutait discrètement, si ce n'est du scintillement de bijoux qui trahissait ses moindres mouvements. Elle ne semblait pas chercher à engager la conversation, étant tout de même demeurée à une distance respectable des musiciens.

Ils achevèrent le Mozart, et Annie, qui veillait au grain, enclencha le protocole « concert ».

Pas de titres codés cette fois-ci.

— Goldberg.

En quatre secondes, tous étaient à la bonne page.

Le violon sous le menton, l'archet sur la corde, David prit la respiration qui signalait à ses camarades à la fois le tempo et la nuance de ce qui s'en venait et le départ proprement dit de l'aria des *Variations Goldberg*. C'était un arrangement pour trio de cette œuvre de Bach écrite pour clavecin qu'Annie avait trafiqué en quatuor à cordes. Un chemin tortueux, mais le résultat n'était franchement pas mal.

C'est ainsi que, parfois, ils arrivaient à faire de la musique dans ce genre de soirée, et non pas seulement gagner leur croûte. Pour quelques instants, ces jeunes musiciens oubliaient le bruit des assiettes et des conversations et ils jouaient, pour eux-mêmes ou pour cette personne qui les écoutait.

Les premières mesures de l'aria sont si dépouillées, si tranquilles, qu'elles portaient chacun d'eux à tendre l'oreille, à veiller les uns sur les autres. Plus rien n'existait autour. Il n'y avait que leur petit convoi qui se mettait tout doucement en marche. Et c'était beau.

Aucun des quatre n'était né lorsque Glenn Gould a enregistré sa célèbre version des *Variations* — et nous parlons de celle de 1981, pas la 1955 —, mais ils la connaissaient tous très bien et elle influençait leur jeu. Surtout celui de David, en fait. Parce qu'il avait la partition de premier violon, c'est lui qui évoquait la main droite du piano.

Il n'est pas facile de décrire la musique avec des mots. On tombe vite dans des métaphores qui n'ont finalement pas grand-chose à voir. Comme un petit tannant en visite qui tapote les touches aiguës du piano de sa tante et déclare « c'est comme de la pluie », et qui donne ensuite un coup de poing sur les notes en bas du clavier pour faire le tonnerre, jusqu'à ce qu'un parent intervienne enfin pour lui dire d'arrêter de faire des conneries.

Pour David, certainement, la musique n'était pas faite comme ça. Elle ne décrivait rien. En tous cas, lui, les mots ne lui venaient pas, et ça l'énervait franchement quand des non-musiciens s'évertuaient à toujours chercher « une histoire » dans la musique qu'ils entendaient.

« S'ils savaient jouer d'un instrument, ils se la fermeraient, et ce serait un grand soulagement pour nous tous. » Cette formule résumait assez bien sa pensée quand il s'exprimait sur le sujet.

Peut-être aurait-il eu plus de facilité à expliquer comment il s'y prenait.

Pour l'aria des *Variations Goldberg*, ça se passait à peu près comme ceci : à sa main gauche, pas de vibrato ; il se fiait plutôt à la légèreté de l'archet et à ses variations de vitesse pour créer des harmoniques qui résonnent. Il utilisait les cordes à vide — donc sans les doigts de la main gauche — aussi souvent que la partition le permettait. C'était en *sol* majeur, alors les occasions étaient fréquentes. D'ailleurs, l'archet, il le saisissait un peu différemment pour ce genre de truc. Moins à la limite du talon, plus en aval, vers le violon, comme s'il avait dans les mains un vrai archet baroque, qui est construit différemment, avec une courbe dedans. Il portait le coude plus haut, comme pour suspendre la baguette au-dessus des cordes et ne pas transmettre trop de poids. Il jouait davantage à la pointe de l'archet et...

Vaut mieux abandonner. Il faudrait vraiment tout expliquer du début.

Qu'il soit tout simplement noté que, ce soir-là, ces quatre musiciens, au restaurant La tomate, vivaient un petit moment de grâce entre eux, en communion avec le père Bach. Cela n'arrivait pas tous les jours, mais c'est exactement pour ces moments-là que David faisait le métier qu'il faisait.

Ils terminèrent le mouvement, et leur spectatrice applaudit alors de tous ses bijoux. Même la poitrine s'en mêlait.

Ça devait être contagieux parce que la salle au complet manifesta son appréciation par ce symbole universel de la joie qui consiste à taper ses mains l'une contre l'autre pour faire « clac ».

— Merci, bredouilla David, en espérant que les convives sachent lire sur les lèvres.

Annie leur annonça les pièces suivantes, et ils enchaînèrent sans interruption avec une danse hongroise de Brahms, une transcription d'une gymnopédie de Satie et un arrangement d'un mouvement du *Concerto n° 3* pour piano de Rachmaninov ; celui dont Paul Anka s'est servi pour faire la chanson *All by myself*. Ce qui est assez ironique comme titre quand on sait qu'il s'agit d'un emprunt. Tout cela pour faire étalage de leur polyvalence et les mener à la pause.

Gros succès. Applaudissements.

Comme ils rassemblaient leurs affaires et se dirigeaient vers leur « loge », la dame au chignon s'approcha de David.

— Bravo. J'ai beaucoup aimé le Bach.

Elle sentait bon, comme il s'en était douté.

— Est-ce que vous jouez toujours ici ?

— Moi, non. Je remplace une des musiciennes habituelles…

Annie arriva alors avec son alto sous le bras.

— Justement, c'est elle qui dirige les opérations. Annie Clermont.

— Oui, bonsoir. Barbara Greenberg.

Les deux femmes se serrèrent la main.

Parce qu'il était jeune et bête, David ne put s'empêcher d'intervenir.

— Greenberg ? Wow ! Toute une coïncidence !

Madame Greenberg ne semblait pas comprendre ce que lui racontait le violoniste.

— Coïncidence ? Pourquoi ?

— Non, non, c'est à cause du Bach…, je comprenais pourquoi ça vous avait plu !

— …

— … à cause des *Variations*…

De toute évidence, son explication ne faisait pas avancer les choses, alors il décida sagement de se retirer.

— Je vous laisse…

David retourna dans la « loge » où il trouva Clothilde et Juliette en train de s'empiffrer de crevettes et de petits pains qu'un serveur leur avait apportés.

— T'étais où, toi ? lui dit Clothilde, tout en mastiquant ses crustacés.

— Chez Sylvain. Âme tombée… Et avant ça, chez mon père. Mauvaise journée…

— Il veut toujours que tu retournes à l'université ?

— Université ? Si je faisais ce qu'il me dit, je retournerais à la petite école pour recommencer mon éducation au complet et apprendre un vrai métier…

— Docteur ? Comptable ? Infirmière ?

— Ces jours-ci, c'est avocat. J'ai un cousin qui a eu le malheur de faire son droit après son bac en philo, et là il est stagiaire dans un grand cabinet et il va faire plein d'argent, paraît-il. Mon père m'a dit: «Si t'es chanceux, il va t'engager pour jouer au party de Noël de son bureau!»

Juliette sursauta.

— C'est vrai? On pourrait avoir une *gig*? Est-ce que c'est bien payé, tu penses?

Juliette était souvent magnifique comme ça.

Clothilde se chargea de l'éclairer.

— Ben non, cocotte, son père lui dit ça pour lui faire comprendre que son cousin est meilleur que lui, c'est tout!

— Ah… C'est dommage parce que mes affaires sont pas mal tranquilles d'ici à Noël, et je voulais acheter une robe de princesse à ma filleule…

Cette conversation le déprimait.

Une claque derrière la tête le sortit de sa déprime. Annie revenait de la salle à manger. Dans tous ses états.

— David Hardy, c'est quoi l'idée de faire des farces avec le nom du monde? C'est pas parce qu'on appelle ça les variations Justin Bieber, les variations Zuckerberg, Greenberg ou Woopie Goldberg entre nous que tout le monde va comprendre nos références!

— Qu'est-ce qu'il a fait?

— La madame avec les seins qui nous écoutait tantôt, c'est une agente de musiciens. Elle *booke* pour des événements, surtout des mariages, dans la communauté juive. Son nom, c'est Greenberg, et notre champion premier violon ici lui disait quasiment qu'elle avait un drôle de nom!!

— Pas du tout, je faisais juste remarquer… OK, j'aurais dû me taire, t'as raison. Mais tu peux bien parler: *Baby doll!* On aurait pu avoir l'air pas mal fou si je n'avais pas trouvé de quelle pièce tu parlais!

— Ben voyons donc! *Baby doll*, qu'est-ce que tu voulais que ça soit d'autre!

— Je ne sais pas, moi, *Clair de lune* de Debussy, *La Nuit transfigurée* de Schönberg, *Les Barricades mystérieuses* de Couperin, il paraît que ça fait référence aux corsets… *Baby doll*, corsets… connexion ? ?

— Es-tu malade ? Voir si on jouerait du Schönberg à un *party* !

— Elle a raison, *La Nuit transfigurée*, je pense que c'est pour un sextuor ; il nous aurait manqué deux personnes, et là on aurait vraiment été dans le trouble !

— Merci, Juliette.

— Est-ce qu'elle a des engagements pour nous ? lui demanda Clothilde.

— Ça se pourrait. Je vais lui reparler cette semaine. Mais il y a un problème : elle veut que ce soit David qui joue.

David comprit tout de suite où était le problème.

— Marianne ?

# CHAPITRE 3

Robert Dubreuil faisait de grands détours pour ne pas rentrer à la maison immédiatement. Il avait été heureux de faire la connaissance du jeune homme, mais il se trouvait complètement idiot de lui avoir cassé les oreilles avec ses histoires de vieux bonhomme qui sait tout et qui a tout vu.

« Crétin. »

« Qu'est-ce qui m'a pris ? »

Il roulait sans but précis, se répétant en boucle ses propos de tout à l'heure pour mieux souffrir de les avoir tenus. Il exagérait le ton emphatique, ajoutait des gestes :

« Il y a trois catégories de musiciens… »

« … les fruits en sont trop aléatoires… »

« … je ressens comme une gêne… de la culpabilité à vous entendre discuter de musique… »

« J'avoue avoir été ému de voir ce beau jeune homme… »

— J'ai vraiment dit ça ? Qu'est-ce qui m'a pris ? En plus, il va penser que je suis un vieux pédéraste.

Ce qui ne faisait pas de doute dans la tête de David, comme on le sait, mais qui n'avait pas causé autant de dégâts que ce que craignait Robert Dubreuil.

Le fait est que Robert avait senti une réelle sympathie pour le jeune musicien. Il avait été ému pour vrai par ce garçon, dont on pouvait absolument dire qu'il était beau sans qu'on ait à lire quoi que ce soit entre les lignes, et ses propos comme ses gestes n'avaient été animés que par un élan qu'on aurait pu qualifier de paternel ; une référence à des liens qui demeuraient toutefois très abstraits pour Robert, n'ayant lui-même jamais connu son père. Il est aussi vrai que Robert n'était pas très doué pour les rapports avec les humains, ou peut-être tout simplement pas intéressé.

La musique des conversations de tous les jours sonnait à ses oreilles comme la *muzak* des ascenseurs. Un ersatz de la vraie chose, un camouflage, une tromperie dont il ne voulait être ni le dupe ni le complice. Il aimait aller droit au but, entrer tout de suite dans le vif du sujet, sans préliminaires. Préférant ainsi l'air raréfié des sommets de ce qu'il considérait comme la vérité, il trouvait bien peu de monde disposé à le suivre à cette altitude et certainement pas dès la première rencontre.

Non seulement cette posture excessive contre la banalité de la pluie et du beau temps le privait d'occasions de créer des liens en entrant doucement en matière avec ceux qu'il aurait aimé apprivoiser ou qui tentaient de le connaître, mais l'absence de lubrification de ses abordages le faisait souvent passer pour un hurluberlu. Les réactions de recul — bien légitimes — que cette espèce d'analphabétisme social provoquait chez les gens et les expériences désagréables qui en découlaient lui avaient depuis longtemps enseigné qu'il valait mieux limiter son exposition au monde.

Hormis les répétitions et les concerts de l'orchestre qui nécessitaient évidemment sa présence, Robert sortait donc bien peu de chez lui. Il allait parfois faire un tour à La chanterelle, en spectateur, pour en observer discrètement la faune en buvant un café, et il rendait visite à sa mère aussi souvent qu'il le pouvait, par obligation ; autrement, il ne cherchait pas trop la compagnie de ses congénères, musiciens ou civils.

Quant à son boulot, l'orchestre symphonique n'était pas et n'avait jamais été la grande famille qu'on pourrait imaginer. Tout se passait dans une relative courtoisie, sans plus. En vingt-six années, quelques partenaires de pupitre s'étaient succédé à ses côtés; jeunes et vieux, hommes et femmes avec lesquels les conversations s'étaient toujours limitées à des suggestions de doigté, de coup d'archet ou de marque de sirop contre la toux. Depuis son entrée dans la boîte, il était toujours resté plus ou moins à la même chaise, au fond de la section des seconds violons, ayant toujours préféré ne pas se présenter aux auditions lorsqu'un poste plus en avant se libérait. Selon le répertoire, il arrivait que des effectifs plus importants deviennent nécessaires, pour certaines symphonies de Mahler, par exemple. Robert se trouvait alors momentanément plus près du chef d'orchestre par la simple présence de violonistes surnuméraires assis derrière lui, mais il préférait de loin la sécurité de la proximité des coulisses, peut-être pour faciliter la fuite si une urgence devait se présenter.

La seule chose pour laquelle il était très doué, c'était le violon, même si les aspects pratiques du métier de violoniste ne l'avaient jamais tellement emballé. C'est un choix qui lui avait tout d'abord été imposé, ayant été baigné de musique depuis et même dès avant sa naissance, sans réelle possibilité d'émerger de cette eau, ne serait-ce que pour respirer, jusqu'à son adolescence. Résigné, il s'était ensuite laissé porter par son talent dans la direction où le vent le poussait, et puisque le vent soufflait fort de ce côté, c'est là où il avait échoué.

Mais, parvenu à la cinquantaine, il constata que son talent, aussi remarquable avait-il pu être, ne le démarquait plus des autres musiciens qui avaient seulement travaillé davantage pour arriver au même résultat, sans compter tous ceux qui avaient fait beaucoup mieux que lui avec les mêmes moyens. Il se tirait bien d'affaire, apparemment sans trop se forcer — en tous cas si on le comparait à plusieurs de ses collègues —, mais ça n'en faisait pas un grand violoniste pour autant. Un bon, mais pas un grand.

C'était peut-être pour cette raison qu'il trafiquait la vérité en affirmant appartenir à la catégorie des musiciens doués pour lesquels la musique n'était « qu'une façon comme une autre de gagner correctement sa vie ».

En relativisant ainsi son attachement à la musique, Robert parvenait presque à se convaincre que sa carrière — honnête, mais sans grand éclat — était en fait le résultat d'un choix délibéré de simplicité, la preuve de sa grande sagesse, de son accès à un état de plénitude qui le rendait sourd au chant des sirènes de la vanité et de l'ambition, auquel tous les autres succombaient fatalement. Cette agréable façon de voir les choses avait l'avantage de ne pas interrompre la chaîne des qualités qui avaient toujours fait de lui un être d'exception : hier, le talent ; aujourd'hui, la transcendance spirituelle. Ou quelque chose comme ça.

La vérité, c'est que même s'il n'avait peut-être pas une connaissance encyclopédique de la musicologie comme quelques-uns de ceux qu'il entendait parfois discourir à La chanterelle, il adorait la musique et surtout en jouer.

Il avait commencé à apprendre le violon à cinq ans, toutefois son initiation musicale avait débuté bien avant. Ses premières sensations sonores dataient du ventre de sa mère jouant du piano, enceinte de ce bébé, non pas accidentel ou non désiré, mais disons impromptu, comme du Schubert.

À l'époque, à la fin des années 1950, Jasmine Dubreuil était une jeune pianiste fort douée, recherchée par les instrumentistes locaux ou de passage autant pour ses qualités d'accompagnatrice que pour le réconfort que plusieurs d'entre eux trouvaient dans ses bras accueillants. Celle qui allait devenir la maman de Robert Dubreuil n'était pas seulement amoureuse de la musique, elle pratiquait aussi l'amour des musiciens. Une groupie, en quelque sorte, avant la lettre.

En sa qualité d'accompagnatrice, Jasmine recevait beaucoup de musiciens chez elle. Des élèves du Conservatoire, mais aussi des musiciens professionnels, qui désiraient peaufiner leur jeu en vue d'un récital. Son plaisir et sa gloire, c'était d'accompagner les grands instrumentistes en tournée dans la région. Jeune prodige ou star établie, tous réclamaient Jasmine Dubreuil pour leurs répétitions et parfois même pour leurs concerts. Cette excellente pianiste était douée à la fois d'une technique irréprochable et d'une musicalité exceptionnelle. Ces qualités à elles seules ne pouvaient cependant expliquer comment elle était à ce point courue par tous ces musiciens et comment sa réputation avait ainsi traversé les frontières.

Pour mieux comprendre, il est sans doute utile d'apporter quelques précisions sur le métier d'accompagnatrice. Car si on peut facilement deviner ce qui pouvait se passer dans le lit de Jasmine avec les musiciens qu'elle y invitait — avec plus ou moins de ces détails qu'on dit croustillants, selon la sorte d'imagination dont on dispose —, pour les non initiés, le vrai mystère résidait plutôt autour de ses fonctions purement pianistiques.

Le répertoire de la plupart des instruments de l'orchestre inclut des pièces composées spécifiquement pour ceux-ci, à être jouées en solo, accompagnées de l'orchestre. Ces pièces, qui comportent habituellement trois mouvements, sont appelées « concertos ».

Certains sont très connus. Pour le piano, le *Concerto n^o^ 21* de Mozart, celui de Schumann, de Grieg, ceux de Ravel, etc. Pour le violon, il y en a aussi plusieurs de Mozart, quelques-uns de Bach, de Vivaldi, sans oublier les Mendelssohn, Paganini, Tchaïkovski, Beethoven, et plein d'autres. Pour le violoncelle, on parle de Boccherini, Elgar, Lalo, Saint-Saëns, Prokofiev et plusieurs de Vivaldi.

Tous les instruments ont donc à leur répertoire de ces pièces écrites pour mettre en valeur leurs possibilités sonores et techniques. Comme on n'a pas toujours un orchestre symphonique à portée de la main, on fait appel à une pianiste (ce sont très souvent des femmes) qui jouera la partition de l'orchestre dans un arrangement — une réduction — créé à cette fin par le compositeur de l'œuvre originale ou par d'autres qui l'auront ensuite édité et mis à la disposition des musiciens. Soit qu'on jouera la pièce avec accompagnement de piano, par exemple pour un examen de conservatoire ou un récital d'élève, soit que celui ou celle qui prépare un concert avec orchestre aura recours à l'accompagnatrice pour mettre les choses en place avant les répétitions avec l'orchestre proprement dit. Pour tous ces instruments, il y a aussi une quantité astronomique de sonates — sous une grande variété de formes — qui ont été conçues exprès pour être jouées avec piano. Parfois, la partition de piano est si redoutable qu'on ne parle plus de sonates pour violon et piano, mais bien pour piano et violon, comme celles de Beethoven.

Lorsqu'un élève émerge de plusieurs dizaines d'heures de travail pour maîtriser un mouvement de concerto ou de sonate et qu'il joue enfin avec le concours d'une pianiste, il vit un moment déterminant. Pour l'effet, c'est un peu comme la différence entre frapper des balles de tennis sur un mur et jouer avec une vraie personne de l'autre côté du filet. Sauf que ce n'est pas exactement ça non plus, car il ne s'agit pas de prendre son partenaire en défaut. L'effet ressemble davantage à la différence entre se tripoter tout seul et se faire tripoter par une main étrangère mais bienveillante. C'est nouveau, c'est excitant, il y a un objectif commun, et on se sent tout à coup un peu moins seul.

Douée d'un instinct musical hors du commun, Jasmine se sentait investie d'une mission pédagogique. Elle pouvait suggérer des nuances, des articulations, ou passer des remarques sur l'intonation. Elle savait tempérer les ardeurs comme elle pouvait donner du tonus. Après tout, l'orchestre, c'était elle.

Les musiciens trouvaient en elle un guide, un gourou, un sherpa, un mentor, une maman, ou une combinaison de tout cela, avec quelque chose de plus. Pour Jasmine, la musique était une expression de sa sensualité, le lit n'étant finalement que le prolongement de sa musicalité. La musique de son âme était affaire de technique, mais aussi de sentiments, d'instinct, de respiration, de contrôle, parfois de fougue, parfois de délicatesse. Elle affectionnait particulièrement les silences et les symboles par lesquels on les identifiait dans la partition, un peu comme la ponctuation d'un texte, mais en beaucoup plus riche. Le soupir. Le demi-soupir. La pause. La demi-pause. Le quart de soupir. Le tacet, même, qui indique carrément de se taire. Jasmine enseignait à ses partenaires musiciens la beauté du silence. Elle envisageait le silence comme un bloc de marbre que le musicien devait sculpter afin qu'émerge l'essence de la musique. Tout le reste n'était que du bruit. Dans sa façon toute personnelle d'exercer son métier, Jasmine ajoutait ainsi un élément charnel, à travers lequel ses enseignements prenaient une dimension des plus intimes.

Ceci expliquant cela, au bout du compte, il aurait fallu un recours collectif pour déterminer la véritable paternité de l'enfant, ce qui n'intéressait ni les probables géniteurs ni la principale intéressée, tout à fait heureuse de porter en elle le fruit de toute cette musique de chambre et de la perspective de s'en occuper toute seule, sans intervention paternelle.

Elle continua à jouer du piano pendant toute la grossesse, le ventre collé sur son instrument, reculant le banc un peu plus chaque mois, à mesure que le bébé en son sein s'interposait entre elle et le clavier. Robert profitait pendant ce temps des vibrations de quelques siècles de répertoire pianistique. Bach, Scarlatti, Schubert, Liszt, Chopin, Schumann…

Le piano en question était un magnifique Bösendorfer de sept pieds qui occupait à lui seul les deux tiers du salon. L'instrument avait été le don d'un riche imprésario autrichien qui avait confié un de ses protégés aux bons soins de Jasmine à l'occasion d'une tournée de trois mois en Amérique.

Après un récital qu'il avait donné à Boston, le jeune violoncelliste en question avait appris par un télégramme laconique que sa fiancée — une clarinettiste de l'orchestre de Leipzig — renonçait au mariage qui devait unir leurs destinées à son retour de voyage. Le jeune homme voulut interrompre la série de concerts pour vite retourner en Allemagne afin de faire entendre raison à sa promise. Devant cette menace, l'imprésario avait tout de suite cherché et rapidement réussi à obtenir plus de détails par ses propres contacts pour apprendre que la jeune fille était en fait tombée follement amoureuse du chef d'orchestre, que celui-ci avait abandonné femme et enfants pour vivre avec elle et qu'ils étaient en ce moment à Venise, où le chef avait été invité pour donner une classe de maître au conservatoire Benedetto Marcello. Ils avaient ensuite pris des arrangements pour faire une croisière sur l'Adriatique qui devait les mener jusqu'à Taormina, en Sicile, où le chef comptait présenter sa nouvelle compagne à sa mère afin d'obtenir sa bénédiction, ce qui était toutefois hautement improbable. La nouvelle donna un tel choc au jeune violoncelliste que, non seulement il voulut renoncer à poursuivre la tournée, mais il tenta même de mettre fin à ses jours en se pendant à l'aide de la corde de *la* de son instrument qu'il avait attachée à une poutre de sa chambre.

Heureusement plus doué pour le drame que pour les nœuds, le jeune homme s'en tira avec quelques ecchymoses aux genoux et à l'amour-propre lorsqu'il tomba de la chaise qu'il avait installée pour se pendre et que la corde qu'il avait au cou le laissa choir sans retenue.

On tenta bien de raisonner le jeune musicien, de le consoler, de le distraire, rien n'y fit.

À bout de ressources, l'imprésario contacta alors Jasmine dont on lui avait souvent vanté les exceptionnels talents. Jasmine se rendit en train à New York, où le prochain récital du violoncelliste devait avoir lieu trois jours plus tard. Dans une suite immense de l'hôtel Waldorf Astoria où on avait fait installer un Steinway de concert, Jasmine prodigua jour et nuit ses soins au jeune homme jusqu'à ce qu'elle ait transformé son désespoir en rage, sa rage en concupiscence, puis en extase, puis en musique.

Trois jours plus tard, à propos du récital du jeune violoncelliste, un critique du *New York Herald* écrivait: « [...] jamais n'avais-je encore entendu une exécution si brillante et envoûtante des *Fantasiestücke, opus 73* de Schumann. C'est à se demander où ce si jeune artiste est allé puiser cet amalgame de maturité, de puissance et d'émotion. »

Quelques jours après son retour de New York, on sonnait à la porte de Jasmine. Un homme lui remit un bouquet de roses et une carte de l'imprésario où il était simplement inscrit: *Merci.*

— On le met où ? demanda le messager.

— De quoi parlez-vous ?

— Ben ça...

Jasmine sortit la tête par l'embrasure de la porte pour voir de quoi il s'agissait.

Elle aperçut trois gros déménageurs en train de gravir les dernières marches de l'escalier qui menait à son appartement du deuxième étage. Ils portaient un mastodonte bardé de couvertures épaisses, évidemment très lourd à en juger par les jurons que proféraient les hommes qui peinaient à hisser l'immense animal à l'aide de larges courroies de cuir, et le grincement des marches qui menaçaient de céder sous le poids conjugué des colosses et de leur fardeau.

Ils firent entrer le monstre dans l'appartement, le déballèrent et l'installèrent sur ses pattes.

Jasmine était ravie. Flattée et ravie. Mais il n'y avait plus de place pour son vieux piano, dont elle devait maintenant se départir. Les hommes repartirent donc avec l'ancien instrument que Jasmine leur chargea d'apporter à la boutique d'un détaillant qu'elle connaissait bien. Celui-ci acheta le piano pour quelques centaines de dollars, une somme suffisante pour que Jasmine puisse ainsi renouveler son matelas et sa literie, des accessoires qui n'étaient pas étrangers au succès de toute l'opération.

Le son du Bosendörfer s'inscrivit donc comme la voix maternelle dans les cartilages, les neurones et le sang du bébé à naître. On pouvait espérer que tant qu'il l'entendrait, tout irait pour le mieux.

Lorsque le bébé arriva enfin et qu'il s'agissait d'un garçon, Jasmine le nomma Robert, en hommage à Schumann, l'archétype du compositeur romantique. Dès lors, il lui sembla impensable que son enfant devienne quoi que ce soit d'autre que musicien.

Très tôt, Jasmine prit l'habitude d'installer son nourrisson sous la queue du piano pendant les répétitions avec les musiciens qu'elle continuait à recevoir. L'enfant s'y plaisait, retrouvant là des conditions voisines de celles qu'il avait connues dans le ventre de sa maman.

Robert passa ainsi ses premières années dans cette espèce de grotte avec vue sur les pieds de sa maman, qu'il tentait d'ailleurs parfois d'attraper au risque de se faire écrabouiller les doigts lorsque Jasmine devait actionner une des pédales au même instant. De son poste, il pouvait également apercevoir d'autres paires de pieds et de jambes aller et venir, jouer du violoncelle, du hautbois, du violon ou de la flûte. Parfois, la musique s'arrêtait et les pieds se rapprochaient de ceux de sa mère. Robert se manifestait d'un cri, de pleurs ou de gazouillis… et les pieds retournaient comme par magie à leur place.

Les visiteurs ne s'en formalisèrent pas trop au début, profitant tout de même des services pianistiques de Jasmine. Avec le temps, cependant, certains d'entre eux se lassèrent des nouvelles pratiques de la maison. Jasmine avait beau attendre que le petit fasse sa sieste ou soit couché pour la nuit, ou bien c'était le bébé qui pleurait parce qu'il avait senti la présence d'un intrus dans la chambre de sa mère, ou bien c'était le visiteur qui peinait à donner toute sa mesure, mal à l'aise avec cet enfant qui dormait tout près.

Instinctivement, ou peut-être par devoir, la jeune maman choisissait toujours le bien-être de son enfant avant celui de ses partenaires passagers et allait vite s'occuper de son petit Robert. Ce réflexe naturel était probablement excellent pour l'ego de son fils, mais l'était beaucoup moins pour sa petite entreprise qui voyait peu à peu sa clientèle diminuer. Les affaires périclitaient doucement et le moral de Jasmine suivait le même chemin. Cet enfant, devenu le centre de son univers, grignotait chaque jour davantage un peu de sa liberté et de son indépendance. Lorsque Robert entama sa troisième année, la situation était rendue à ce point pénible que Jasmine entra dans une sorte de dépression et en perdit même le goût de la musique.

Robert se réfugiait toujours sous le piano, pour jouer avec ses blocs ou ses camions, mais sa grotte demeurait silencieuse.

Les musiciens et la musique ayant déserté sa maison, Jasmine chercha en vain un travail honorable. Ne sachant vraiment faire qu'une chose à part jouer du piano, elle dut se résoudre à étendre son marché et à fréquenter des amants de passage, pour payer le loyer.

Cette réorientation de carrière ne signifiait cependant rien de bon pour le petit Robert qui se voyait encore plus délaissé, sans même la consolation de la musique qui l'avait bercé depuis sa naissance. Il avait beau faire des crises de jalousie lorsque le marchand de pianos ou tel autre *ami de maman* était en « visite » dans la chambre, allant parfois jusqu'à prétendre qu'il s'étouffait ou qu'il avait vomi, Jasmine apprit peu à peu à décoder les signaux de son fils pour distinguer la véritable urgence de la mascarade. De même, alors qu'elle n'aurait jamais confié son enfant à qui que ce soit auparavant, Jasmine n'hésitait plus à laisser Robert aux soins d'une voisine lorsque le devoir l'appelait hors de la maison pour une soirée ou même toute une nuit.

Déjà orphelin de père, l'enfant souffrait de ce qu'il vivait comme un abandon. Il faisait des cauchemars, n'avalait presque plus rien, piquait des colères à tout bout de champ ou se mettait à pleurer sans motif apparent, au grand désespoir de Jasmine.

Un événement vint cependant changer le cours des choses.

Jasmine reçut un jour l'appel d'un professeur de chant qu'elle avait bien connu, quelques années auparavant. Le professeur n'avait plus eu recours à ses services depuis que sa femme, influencée par les rumeurs qui couraient au sujet de Jasmine, avait sommé son mari de mettre fin à cette collaboration.

Bien qu'il ne le dît pas à Jasmine, le professeur avait été mis au courant par des collègues que la pianiste peinait à se trouver du travail comme accompagnatrice. Il lui proposa de lui envoyer un de ses élèves.

— Il n'est pas très doué, mais il est enthousiaste.

— Et votre épouse ?

— Je n'assisterai pas à la répétition. Je vous fais confiance, Jasmine… Et je vous sais discrète.

— Quelle pièce travaille-t-il ?

— *Après un rêve.* Fauré.

— D'accord. Dites-lui de venir jeudi matin. Dix heures.

Bien qu'elle ne s'était pas fait d'idée précise de l'élève que le professeur lui envoyait, elle fut tout de même surprise d'ouvrir la porte à l'homme d'une quarantaine d'années, de petite hauteur et grassouillet, mais autrement impeccable dans son costume à fines rayures, qui se présenta chez elle à l'heure convenue.

Il lui remit sa carte et entra chez Jasmine comme un huissier chez un débiteur en défaut.

Elle jeta un œil au carton : *Jean-Paul Desruisseaux, avocat.*

— Ah, vous êtes avocat…

— Oui, ténor du barreau, en quelque sorte !

— On me dit que vous chantez…

— Vous savez, Jasmine, dans mon métier, la voix est un outil précieux. Je m'en sers pour convaincre, comme pour charmer…

Sans qu'on l'y invite, maître Desruisseaux s'était assis au piano et en tapotait distraitement les touches, en jetant ce qu'il pensait être des regards langoureux à Jasmine. Elle eut une pensée malveillante pour le professeur qui lui avait envoyé ce bonhomme qui s'imaginait peut-être la séduire.

— On m'a beaucoup parlé de vous, Jasmine. Je siège au conseil d'administration de l'orchestre, et on m'a dit de belles choses à votre suj… Aaaaaahh ! !

L'avocat s'était levé d'un coup sec. Robert, à son poste sous le piano, venait de saisir le pied de l'intrus.

— Qu'est-ce que c'est que… ? !

— C'est mon fils Robert. Il a quatre ans. Il aime beaucoup la musique, mais pas trop les musiciens. Vous voyez, il vous aime déjà !

— Vous avez un enfant ? Et il reste ici pendant les… pendant les répétitions ?

Humiliée, Jasmine sentit des larmes monter à ses yeux.

Comment en était-elle arrivée là, ainsi réduite à ce que des « amis » lui envoient des « clients » ? Sa colère montante lui fit couper court aux minauderies du disciple de Thémis.

— Maître Desruisseaux, j'ignore ce qu'on a pu vous raconter à mon sujet, mais moi, je suis pianiste. Répétitrice et accompagnatrice professionnelle. Si c'est bien l'objet de votre visite, allons-y. S'il y a eu un malentendu, vous m'en voyez désolée, mais je ne vous retiens pas.

Robert s'était rapproché du monsieur et tentait encore de lui soutirer son soulier.

L'homme était pris à son propre piège. Ne pouvant admettre quelque motif ultérieur sans y laisser toute sa dignité, de même que sa chaussure, il dut rapidement corriger le ton de sa plaidoirie.

— Madame, je vous en prie. J'ai… Je… Pouvez-vous s'il vous plaît lui dire de lâcher mon pied ?

Jasmine se sentit galvanisée par le désarroi apparent du maître chanteur.

— Robert, laisse le monsieur et retourne dessiner sous le piano. On va faire de la musique.

Jasmine prit sa place au clavier.

— Vous, mettez-vous là, indiquant le lutrin dressé dans l'arc de la queue du piano.

— Ici... ?

— Oui c'est ça. Alors, Fauré ?

— Oui, écoutez, ce n'est que pour une petite fête organisée par le barreau... et je voulais simplement...

— Il n'y a pas de simplement. Vous ne voulez pas avoir l'air fou devant vos confrères, n'est-ce pas ? Alors on va voir ce que vous avez dans le ventre. Allez-y, on vous écoute.

L'homme était on ne peut plus dans ses petits souliers.

— Comme ça ? *A capella*, comme on dit ?

— C'est ça, *a capella, agricola, agricolæ* et *ad nauseam* s'il le faut, on est ici pour répéter !

Encore sous l'émoi de sa déroute, le ténor du barreau éprouva de la difficulté à se mettre en voix. Il faut dire que les paroles de la chanson *Après un rêve,* mises en musique par Gabriel Fauré, ne l'aidaient en rien à retrouver un peu d'assurance.

— Vous pouvez me donner la note, s'il vous plaît ?

Jasmine plaqua un bel accord de *do* mineur, puis les quatre premières notes, *sol, do, ré, mi* bémol. Ce qui était bien gentil de sa part.

Maître Desruisseaux tenta d'accrocher les premières paroles de la chanson à cette bouée sonore que lui lançait Jasmine.

— *Dddd... Daaanns... Dans un sommeeeeeeil...*

Jasmine l'interrompit tout de suite en martelant à répétition le *sol* du départ.

— *Daaaaaaans.... Sooooool....* Vous entendez ? *Sol ?*

La voix de l'avocat se mêlait à celle de Jasmine.

— *Daaaans un sommeil...* comme ça ? *Daaaans un...*

— Attention à la deuxième note, le *do, Dans unnnn, Dans unnnn, sol-la-si-dooooo, doooo*, allez-y, je vous laisse aller.

Le chanteur s'exécuta de nouveau.

— *Dans un som-meil que char-mait ton i-ma-ge, je rê-vais le bon-heur, ar-dent mi-ra-ge...*

— *Je rê-vaaaaaais, ré* bémol-*fa-rééé é-do-si* bécarre, bécarre ! On est en *do* mineur ! reprit Jasmine, en s'accompagnant au piano.

Elle ne laissait rien passer.

Le pauvre homme persévérait, mais les forces qu'il avait encore le quittaient peu à peu.

Il se sentait complètement nu, à la merci de cette pianiste diabolique qui semblait faire exprès pour qu'il ait à répéter les passages les plus humiliants, dans les circonstances.

Il eut par exemple beaucoup de difficulté avec *Tu rayonnais comme un ciel éclairé par l'aurore*, mais pas autant qu'avec *Hélas ! Hélas ! triste réveil des songes, je t'appelle, ô nuit, rends-moi tes mensonges*, ce qui est bien compréhensible.

Elle prenait un certain plaisir à voir le bonhomme suer un peu et peut-être regretter son arrogance initiale, mais elle avait tout de même l'intention de lui en donner pour son argent. Il sortirait de chez elle meilleur chanteur que lorsqu'il était entré, mais il fallait tout d'abord pulvériser son amour-propre qui le séparait encore d'un début de résultat.

Sentant qu'elle touchait presque à ce premier objectif, elle décréta une pause, que l'homme ne refusa pas, trop content d'interrompre la séance de torture.

— Vous n'avez pas une vilaine voix, Maître Desruisseaux, mais votre oreille n'est pas fiable du tout. Il faudra l'éduquer. Solfège, dictée... Par exemple, répétez ces notes...

Jasmine joua un arpège de *mi* majeur.

L'avocat était pris de court.

— Euh... *ré* ?

— Non, non, ne nommez pas les notes, ne faites que reproduire la hauteur des sons, avec des nanananas. Détendez-vous.

L'élève reprenait un peu de courage, mais il était encore intimidé.

— Je n'ose pas.

— Mais si, allez-y, prenez l'exercice comme un jeu.

— J'ai la gorge sèche, pourrais-je vous demander un verre d'eau ?

— Bien sûr, je vous l'apporte.

Comme Jasmine allait saisir la carafe sur la bibliothèque, une petite voix se fit entendre.

— *Mi*, *sol* dièse, *si*, *miiiiiiiii*…

C'était Robert.

Jasmine faillit échapper la carafe.

Elle jeta un coup d'œil sous le piano. Robert était penché sur son dessin, affairé à colorier un soleil avec beaucoup de jaune.

Maître Desruisseaux ne comprenait pas ce qui se passait.

Jasmine lui fit « chut » du doigt et regagna son clavier, à pas de loup. Elle joua un nouvel arpège. *La* majeur.

Ils attendirent une seconde, puis deux. On n'entendait que le frottement du crayon de Robert sur la feuille.

Puis :

— *Laaaa*, *do* dièse, *miiii*, *laaaaaa*…

Elle répéta l'exercice sur tous les tons, dans l'aigu comme dans le grave, en mineur, en majeur, en septième de dominante, en accords renversés, le petit avait tout bon. Il commit bien quelques erreurs de nomenclature, comme nommer un *mi* bémol *ré* dièse, qui sont en fait la même note, mais l'enfant n'ayant aucune connaissance de la théorie musicale, la démonstration demeurait époustouflante.

Jasmine bondissait de joie. Robert sortit de sous le piano et se précipita dans les bras de sa mère qu'il n'avait pas vue si joyeuse depuis si longtemps. Il n'était pas sûr de ce qui la rendait si heureuse, mais il était ravi de retrouver sa maman.

L'avocat, lui, ne faisait qu'assister au spectacle et il se sentait un peu de trop. Il ressentait aussi une certaine honte des desseins peu honorables qui, en partie du moins, l'avaient mené jusqu'ici.

Jasmine retourna au piano et prit Robert sur ses genoux.

— OK. Ferme tes yeux et chante-moi un *la*.

Robert chanta son *la*.

Jasmine joua un *la* sur le clavier. Exactement la même note que celle que Robert avait chantée.

— Maintenant, chante un *fa* dièse !

Robert réfléchit un instant et produisit la note demandée.

Il semblait bien que toute la musique que le petit avait bue, avalée et respirée depuis le tout début de son existence l'avait profondément et irrémédiablement affecté, sans compter les gènes qui avaient sans doute aussi laissé des traces, aussi éloquentes qu'indélébiles.

Maître Desruisseaux avait déjà entendu parler du phénomène, mais il n'avait jamais encore assisté en direct à une telle démonstration de ce qu'on appelle l'oreille absolue. Et c'est bel et bien ce que le petit Robert avait. Même qu'il en avait deux. Que Jasmine couvrait maintenant de baisers et de caresses.

L'avocat prétexta un rendez-vous et annonça qu'il devait partir. Il paya le double de la somme convenue, promettant qu'il s'agissait d'une avance pour la prochaine leçon, et ne revint jamais.

À bord de sa Fiat, Robert Dubreuil arriva éventuellement à la conclusion que, peu importe le nombre de kilomètres qu'il franchirait sous cette pluie battante, ce n'est pas au hasard de sa route qu'il trouverait de remède à sa détresse. En tous cas, pas ce soir.

Il rentra chez lui. Il ouvrit le réfrigérateur et y prit une bière qu'il but en regardant distraitement le bulletin de nouvelles. Lorsque la bouteille fut vide, il éteignit la télévision et se dirigea dans la pièce qu'il appelait son studio. Là, il prit son violon et son archet et ferma toutes les lumières.

Par la fenêtre entrouverte, la musique de la pluie vint se mêler aux notes de l'adagio de la première *Sonate pour violon seul* de Jean-Sébastien Bach, que Robert joua d'un bout à l'autre, par cœur.

# CHAPITRE 4

David était éveillé depuis un moment et observait Clothilde qui dormait toujours.

Ce n'était pas la première fois qu'il se retrouvait dans son lit, mais c'était la première fois qu'il s'y trouvait encore le matin venu.

David jeta un coup d'œil autour de lui. L'environnement était beaucoup plus joli et confortable que la chambre sombre du demi-sous-sol où il logeait. Ici, la pièce, toute blanche, était vaste. Haute de plafond et enluminée de moulures baroques comme la crème d'un gâteau d'anniversaire, c'était une vraie chambre de fille. De fille violoniste.

La couette et les oreillers de Clothilde étaient couverts d'un imprimé de partition musicale semblable au fac-similé du manuscrit des *Partitas* de Bach qu'on retrouvait dans la version Galamian. Les rideaux de dentelle, blancs également, tirés sur deux immenses fenêtres donnant sur la cour, filtraient une douce lumière matinale qui modelait les objets. Sur la commode de chêne, un Schtroumpf chef d'orchestre dirigeait une poignée de Schtroumpfs musiciens. Juste au-dessus, une affiche de la violoniste Anne-Sophie Mutter en pleine action dans une robe très moulante, vert émeraude.

Il aperçut un lutrin antique où trois petites poupées étaient assises sagement. Sa cravate noire gisait sur leurs genoux, comme si les poupées étaient affairées à la recoudre. David avait dû la lancer là la veille. Sa chemise blanche semblait avoir atterri un peu plus loin dans la même direction. De nombreux cahiers de musique étaient rangés entre un buste de Beethoven et une enceinte acoustique. Sur un vrai lutrin d'orchestre à côté du petit clavier Yamaha, il reconnut les études de Kreutzer ouvertes à une page difficile. La robe de Clothilde, en velours noir, était accrochée à la porte de la chambre. Contre le mur, leurs deux étuis de violon, penchés l'un sur l'autre, semblaient se faire des confidences. Le smoking de David était étalé sur une petite chaise en osier, les bretelles du pantalon pendouillaient jusqu'à terre.

David souleva délicatement le drap de musique pour mieux admirer la jolie chute de reins de Clothilde, un paysage qui, lui-même, n'était pas sans rappeler les courbes d'un violon ou d'un violoncelle. Il passa aussi un moment à examiner la tache rougeâtre qu'elle avait dans le cou, juste à l'endroit où elle coinçait son violon, entre l'épaule et le menton.

Tous les violonistes portent ce stigmate plus ou moins prononcé, signe de leur acharnement au travail, de la délicatesse de leur peau ou d'une combinaison des deux. Ce que David lui-même appelait sa tétine de violoniste était une espèce de callosité, un nodule, pas trop visible, mais dont les aspérités et la densité étaient perceptibles au toucher. Celle de Clothilde était vaguement violette, un ovale dans le sens horizontal, comme une petite ecchymose ou un suçon. Très féminin.

On peut ainsi reconnaître certains instrumentistes à ces blessures distinctives. Le pouce gauche corné du violoncelliste, la lèvre fendue du trompettiste, la scoliose du flûtiste, la paralysie de l'auriculaire du hautboïste, l'affaissement des têtes métacarpiennes de la main du pianiste, la tendinite de l'altiste, sans oublier la surdité du chanteur.

Ayant terminé son examen des lieux, David eut l'idée d'une autre activité. Il glissa la main sous la couette, caressa un instant les éclisses de la belle dormeuse, poursuivit son chemin jusqu'à la table d'harmonie, puis descendit une gamme mineure harmonique — qui, comme on le sait, comporte un surprenant intervalle d'un ton et demi entre la sus-dominante et la sensible, ce qui lui donne cette saveur tout orientale. Croyant la salle bien réchauffée, David tenta d'improviser une *cadenza* dans ce registre, mais devant l'indifférence de son public endormi, il préféra remballer son instrument et se retirer en coulisses.

Clothilde ne s'était en fait aperçue de rien, tant son sommeil était encore profond.

Il aurait pu le faire, mais David ne voulait pas filer en douce pendant que Clothilde dormait. Ça ne lui semblait pas approprié, dans les circonstances.

Après La tomate, ils s'étaient tous retrouvés à La chanterelle. Sylvain avait fait quelques ajustements à l'âme du violon de David et on avait bu à la santé de Franz Liszt, dont c'était l'anniversaire de naissance la veille ou le lendemain, à moins que ce soit celui de la mort du compositeur Max Bruch. Les prétextes ne manquaient pas. L'ambiance était à la fête, ils avaient revu un tas de copains et ils s'étaient bien amusés.

Juliette et Clothilde n'habitant pas loin, elles avaient convié Annie et David à prendre un dernier verre chez elles.

Puisqu'ils avaient tous leur instrument, Juliette tenta de les convaincre de lire quelques quatuors qu'elle venait de se procurer, pour le plaisir. Du stock sérieux : Brahms, Schumann, les derniers opus de Beethoven, le genre de répertoire qu'on ne joue pas dans les restaurants, les mariages ou les cocktails.

Mais il était tard.

Ils se contentèrent d'en écouter des enregistrements, les partitions sur les genoux, en buvant ce qui restait d'alcool dans la maison.

Au bout d'un moment, Annie annonça qu'elle partait. Pour la forme, elle proposa à David de le ramener à la maison, mais elle se doutait bien qu'il préférerait rester là, au cas où Clothilde se montrerait hospitalière.

David et Clothilde n'avaient jamais officiellement formé un couple, mais il n'était pas rare de les voir ensemble. Personne ne se surprenait donc ce soir-là de voir Clothilde étendue aux pieds de David, qui lui faisait de petits massages de nuque en écoutant la musique.

Annie partie, Juliette se sentit vite de trop et se retira dans sa chambre.

Les deux violonistes restèrent seuls à bavarder dans le salon.

— Connais-tu Robert Dubreuil ?

— De l'orchestre ? Oui, il m'a déjà enseigné. Pourquoi ?

— Il enseigne ? C'est lui qui m'a reconduit à La tomate ce soir. Il était chez Sylvain quand je suis passé en fin de journée pour mon âme. Il est comment ?

— Comme prof, il est assez particulier, mais il m'a tout corrigé mon archet. Du début. Je n'ai pas touché à mon violon pendant des semaines. Juste l'archet. Même pas, juste un crayon, comme ça, entre les doigts, deux heures par jour. Pé-ni-ble ! Mais ç'a marché.

Clothilde possédait en effet une remarquable technique d'archet.

— C'est Dubreuil, ton archet ? Wow !

— Pourquoi tu t'intéresses à lui tout à coup ?

— Pour rien.

David hésita un moment.

— Je pense qu'il a essayé de me séduire.

Clothilde se retourna en souriant et fit glisser sa main entre les cuisses de David.

— Comme ça ?

— Tu te moques, arrête. Mais oui, il m'a touché le genou.

— Ah, juste le genou.

Elle lui fit une autre caresse, celle-là sans équivoque aucune.

— Ça t'a fait quelque chose ? Tu y rêves encore, c'est ça ? Tu veux que je te rassure sur ton orientation ? Est-ce qu'il t'a fait ça aussi ? Et ça…

Et c'est ainsi qu'ils s'étaient éventuellement retrouvés dans le lit de Clothilde.

Quelques heures plus tard, alors que David commençait à s'impatienter, tout réveillé qu'il était et ne pouvant partir sans passer pour un malotru, un commentaire de Robert Dubreuil lui revint à l'esprit.

C'était celui à propos des grands concertos.

David les avait travaillés et joués, au moins quelques-uns d'entre eux, mais cela faisait déjà un certain temps.

Il avait obtenu son diplôme trois années auparavant. Depuis, il avait tenté de gagner sa vie tant bien que mal en jouant à gauche et à droite.

Ses besoins étaient minimes : un toit sur sa tête, un lit, de quoi manger, des copains, de la musique. Ses moyens suffisaient pour le moment à combler ses modestes désirs, et il ne s'était jamais vraiment arrêté à se demander ce qui viendrait après.

La pression qu'exerçait son père pour que David apprenne un « vrai métier » et se trouve « un vrai travail » avait surtout eu l'effet de braquer le jeune homme, de le camper davantage dans sa position plutôt que de l'encourager à l'autocritique.

Mais le commentaire de Dubreuil le faisait maintenant réfléchir.

À force de jouer des bluettes pour animer les soirées d'un public qui ne l'écoutait que d'une oreille, David négligeait sa technique. La musique d'ambiance ne force pas l'écoute, au contraire, elle est là pour se fondre dans le décor. Aussi le répertoire doit-il être facile d'accès, édulcoré. David ne faisait plus de gammes. Il répétait, plus qu'il ne travaillait. Même lorsqu'il déchiffrait des partitions plus ardues, pour le plaisir de faire de la vraie musique avec des amis, il avait toujours l'excuse de la lecture à vue, de finalement bien s'en tirer, avec la promesse qu'on se faisait toujours dans ces circonstances qu'il faudrait bien un jour « les travailler » et « les mettre en place », pour « organiser un concert » ou « enregistrer un disque », des projets cent fois formulés, mais qui ne se réalisaient jamais, parce qu'il fallait surtout gagner sa croûte.

Et lorsqu'on l'engageait pour jouer dans de petits ensembles, pour accompagner une chorale à Noël ou un chanteur populaire à l'occasion d'un festival, la tâche ne représentait jamais de grands défis non plus. Pas assez pour vraiment bien entretenir la machine, en tous cas.

David s'extirpa doucement du lit, repéra par terre son caleçon qu'il enfila aussitôt et s'approcha de l'étagère où Clothilde rangeait ses partitions. Il en parcourut les couvertures.

« Sonates de Beethoven, sonates de Schubert, Mozart, Corelli, Bach, Haendel… OK, ça c'est les sonates… »

Il entreprit une autre pile.

« Max Bruch, Mozart en *sol*, Lalo, la *Symphonie espagnole*, ça c'est cochon… Ah, voilà, Mendelssohn *Violin Konzert, opus 64.* »

C'était la même édition que celle qu'il avait travaillée autrefois, par Carl Flesch.

David prit la partition et alla s'asseoir par terre, au pied du lit.

En ouvrant la première page, il fut étonné de la propreté des annotations que Clothilde y avait effectuées. Elle avait sans doute utilisé une règle pour guider son crayon à mine : la base de chaque lettre semblait s'écraser pour former une ligne horizontale presque ininterrompue. La mine avait été bien aiguisée. Les chiffres avec lesquels on avait indiqué les doigtés semblaient avoir été tracés à la machine, tellement ils étaient petits et précis. Les coups d'archet étaient notés d'une main également sûre et délicate. Les commentaires étaient rares. Une liaison ici, une mention « détaché » ou « pointe » là, sans plus.

Les partitions de David étaient beaucoup plus brouillonnes. Il utilisait des mines trop grasses et, la plupart de ses annotations étant faites sur le coup de la frustration en cours de répétition, le cahier donnait l'impression d'avoir été tagué par un graffiteur en colère plutôt que par un musicien studieux. « Grouille », « plus long», «intonation», «TEMPO!!», pouvait-on, par exemple, y déchiffrer.

Tout le contraire de ce qu'il avait maintenant devant les yeux.

Ne voulant pas réveiller Clothilde, David dut se résoudre à «jouer» la partition en tapotant des doigts sur son bras droit, comme s'il tenait un manche de guitare dans sa main gauche.

La mémoire digitale d'un musicien expérimenté est telle qu'il n'a pas nécessairement besoin de son instrument pour travailler une partition. Pour un pianiste, la surface d'une table peu très bien suffire. Le truc de David n'était d'ailleurs pas de son invention. C'était une façon simple et courante de travailler un passage ou de tester un doigté quand les circonstances ne permettaient pas de sortir tout son équipement. Lors d'un long trajet en autobus, par exemple.

Si la chose peut paraître bizarre, il faut comprendre que bien peu d'activités exigent autant d'entraînement, de gestes répétés, de travail, que la maîtrise d'un instrument de musique. Alors que sept ou huit années peuvent suffire pour devenir un excellent médecin, il en faudra beaucoup plus pour devenir un violoniste, même médiocre. Et il faut commencer beaucoup plus jeune. C'est notamment ce qui explique qu'on croise davantage de médecins aux concerts que de violonistes aux urgences.

Cet exercice de visualisation tactile était en fait d'une telle efficacité que, même sans son violon entre les mains, David parvenait non seulement à entendre dans sa tête les notes qu'il jouait sur son bras, mais aussi à en vérifier la justesse. Cette méthode ne permet cependant pas d'exercer son coup d'archet.

Les premières mesures du Mendelssohn lui tombèrent assez bien sous les doigts. David fut cependant étonné de constater qu'il butait encore sur les mêmes passages qu'il avait trouvés particulièrement difficiles quelques années auparavant, mais dont il avait finalement triomphé, notamment les arpèges d'octaves en triolet juste avant le *tutti* de la première page, où l'orchestre reprend le thème. Ce matin-là, c'était comme si tout ce travail de peaufinage n'avait été qu'une couche superficielle qui s'était érodée avec le temps et le manque d'entraînement. Le noyau semblait encore solide, si bien que David n'était pas trop inquiet, il saurait retrouver la forme. Il demeurait néanmoins un peu effrayé par sa constatation.

Pour se rassurer, il sauta directement au *presto* à la fin du premier mouvement; un passage certes difficile, parce qu'il devait être joué — comme son nom l'indique — très rapidement, mais que David avait toujours su rendre de brillante façon.

Il aborda le passage en question avec aplomb et se rendit à bon port sans trop de difficulté. Il dut tout de même reconnaître que la méthode du bras silencieux avait ses limites.

Il réfléchit un instant.

Clothilde dormait toujours. La bouche grande ouverte.

À pas de loup, David alla chercher son étui à violon, toujours en tête à tête avec celui de Clothilde. Il dézippa très doucement la fermeture éclair, si doucement que le « zzzzzzzzzz » dura une bonne dizaine de secondes, et put finalement s'emparer de son instrument.

Il retourna à son poste, près du lit, où il avait déposé la partition. Il avait laissé son archet dans la caisse, il ne comptait toujours pas s'en servir.

Assis les jambes croisées, la partition par terre devant lui, David tenait son instrument comme une mandoline. Il recommença la lecture du Mendelssohn dans cette position, cette fois en frottant de son pouce droit les cordes, ce qui produisait déjà assez de son pour mieux juger de l'intonation.

Le même passage d'octaves lui fit quelques misères. Il le répéta quelques fois. Le résultat n'était toujours pas parfait. Les quatre dernières notes de la montée ne sonnaient toujours pas juste. Il commençait à s'énerver.

— Puuute! chuchota-t-il.

David se rendit au lutrin avec le cahier. Il le posa par-dessus les partitions qui s'y trouvaient et reprit le passage, cette fois avec le violon sous le menton, comme il se doit.

Toujours dépourvu d'archet, il dut cependant se contenter de jouer en *pizzicati*, de son index droit, toujours dans le but de ne pas réveiller sa compagne.

Il recommença du début.

Cette nouvelle position, plus proche de la réalité, devait en principe lui fournir de meilleures informations sur la précision de sa main gauche, mais sa main droite ne pouvait produire des *pizz* assez rapides pour que l'exercice soit concluant.

David en avait assez de toutes ces précautions. Il alla quérir son archet dans l'étui et ouvrit la porte de la chambre. Il revint sur ses pas pour s'emparer du lutrin et de sa partition et, son violon sous le bras, sortit en refermant — non sans difficulté — la porte derrière lui, avec le pied.

Il se dirigea tout de suite au salon et planta le lutrin en plein milieu de la pièce.

Il tendit son archet et, comme il allait jouer la première note du concerto, David se ravisa une seconde, le temps de mettre sa sourdine. Cette pièce de caoutchouc chevauche les cordes de *la* et de *ré*, derrière le chevalet; on l'installe directement sur ce dernier pour en étouffer les vibrations, lorsqu'on cherche à limiter la sonorité de l'instrument. Par exemple, quand une fille dort dans la pièce d'à côté. Lorsqu'une composition l'exige, il est inscrit «*con sordino*» ou «*mute*» sur la partition.

La sourdine en place, David put enfin s'attaquer au Mendelssohn.

Il était plutôt satisfait de ce qu'il entendait. La justesse était à peu près au rendez-vous et, ayant pris soin de choisir un tempo beaucoup plus lent que l'allegro suggéré, il se sentait en relative sécurité. Ainsi, lorsqu'il amorça les premières montées en octaves, il réussit à les franchir sans problème. Il savait bien qu'il était censé pédaler beaucoup plus vite s'il voulait se qualifier, mais, pour ce premier tour de piste, il était content que sa bicyclette soit munie de petites roues stabilisatrices.

En éliminant un pourcentage substantiel de décibels, la sourdine a aussi un effet flatteur, qui nivèle les aspérités du son et en maquille les défauts. La sourdine donne finalement l'impression qu'on joue beaucoup mieux qu'en réalité, comme peut le faire l'alcool sur la perception de sa propre éloquence ou du *sex appeal* de son interlocuteur.

Il demeure que David ne s'en tirait pas trop mal. En tous cas assez bien pour ne pas être complètement découragé.

Pour en avoir le cœur net, il enleva la sourdine.

Le contraste était évident.

Il n'eut pas à jouer bien longtemps pour se rendre compte qu'il n'était vraiment plus au sommet de sa forme.

Les vingt-quatre premières mesures du Mendelssohn sont toutes jouées dans l'aigu, sur la corde de *mi*. Pendant ce temps, l'orchestre, dans un registre plus bas, se fait discret. Ces premières phrases sont donc très « visibles » et mettent la table pour ce qui va suivre. L'intonation doit être absolument parfaite.

Et elle ne l'était pas.

Sans sourdine, sans orchestre ni pantalon, le jeune violoniste se sentait tout nu. Comme un enfant qui explore ses fesses avec une loupe et un miroir, David était à la fois effrayé par l'exercice et curieux de ce qu'il allait découvrir.

Il continua donc son expédition.

Comme prévu, il se cassa un peu la figure dans les montées en octaves, mais il était content de sa sonorité dans les gammes en solo au début de la deuxième page.

Il ne s'arrêtait pas pour reprendre les traits qu'il ratait, mais il les notait mentalement pour référence future. Et il y en avait plusieurs.

Il arriva enfin à la cadence, qu'il avait toujours eu du plaisir à jouer, malgré la difficulté. Dans un concerto, la cadence est un passage joué sans l'orchestre pour mettre en valeur la virtuosité de l'instrumentiste. Le musicien a alors le loisir de prendre toutes sortes de libertés, pouvant même aller jusqu'à l'improvisation pure et simple, sur les thèmes exposés dans l'œuvre.

Il avait tellement travaillé cette cadence à l'époque qu'il la jouait encore très correctement, ce qui le réconforta un peu.

Il éprouva toutes sortes de difficultés par la suite, mais il persévéra jusqu'aux ultimes mesures du premier mouvement, qui s'achève, comme on le sait, sur un *presto*, dans une montée frénétique, une charge endiablée qui culmine sur un *mi* dans le suraigu, jusqu'à ce que l'orchestre saisisse la bride de ce cheval fou et le ramène à l'écurie.

C'était un véritable effort physique. David sentait le sang battre dans ses bras, son cou, sa tête...

— C'est joli les petits animaux sur ton caleçon...

David sursauta. Il faillit en échapper son violon.

— C'est des chiens ou des chats ?

Juliette était assise au comptoir de la cuisine, qui donnait sur le salon. Lui faisant dos, David ne l'avait pas vue lorsqu'il s'était installé un peu plus tôt, avec le lutrin et son violon.

— Tu m'as fait peur !

— Tes fesses se serrent dans les passages plus difficiles. Est-ce que ça t'aide ?

Connaissant Juliette, David savait qu'elle ne blaguait probablement pas. Elle était incapable d'ironie ou de sarcasme, ni même d'humour. Pas volontairement, du moins.

— Ah bon, je n'avais jamais remarqué.

— Oui, oui. Je voyais très bien. Dans la cadence, les arpèges en doubles croches, c'était serré-serré. Je sais parce qu'il y a des petits chiens sur ton *boxer* qui disparaissaient par moments. Ou des chats.

— Ce sont des tigres...

Juliette s'approcha pour mieux voir, une toast à la main.

— Ben non, c'est pas des ti... Ah, ben oui, tiens donc...

Son peignoir blanc s'entrouvrit lorsqu'elle se pencha pour examiner les animaux du caleçon. David aperçut de la peau. Un sein. Peut-être même deux.

Il devint subitement très conscient de sa propre tenue.

— Je vais aller m'habiller...

— Non, non, reste. Tu vas réveiller Clo. Regarde, moi non plus j'ai presque rien — elle souleva un peu le peignoir qui était déjà court. On devrait lire les quatuors que vous ne vouliez pas faire hier.

David ne voyait pas comment le sommeil de Clothilde serait mieux préservé en lisant des quatuors dans le salon qu'en rentrant dans sa chambre pour aller se rhabiller, mais il ne se sentait pas capable de discuter avec les charmes de Juliette, même s'il savait qu'ils lui étaient exposés sans la moindre arrière-pensée.

— Et toi, Juliette, pourquoi es-tu levée si tôt ?

— Oh, je ne me suis pas couchée encore. J'ai *chatté* toute la nuit...

Devant le regard incrédule de David, elle continua son explication.

— J'ai des amis en Europe et au Japon... Le décalage...

— Toute la nuit ?

— J'ai somnolé tantôt, mais je vais dormir plus tard. Je n'ai rien d'autre à l'horaire aujourd'hui.

— Pas beaucoup de *gigs* ces jours-ci ?

— Non, pas trop. Mais je me débrouille très bien. Regarde toutes les partitions que j'ai achetées !

En effet, Juliette avait beaucoup de nouvelles partitions, qu'elle étalait sur le canapé.

— J'ai *La jeune fille et la mort* aussi, on fait ça ?

Juliette n'attendit pas la réponse. Elle prit son violoncelle couché derrière le canapé et disposa les partitions de Schubert sur les lutrins. David abaissa le sien et prit place sur le canapé, assis au bout du coussin.

Ils accordèrent leurs instruments.

David joua la corde de *la* à vide, puis celle de *mi*, en quinte, qu'il ajusta par une des clés sur la volute. Puis celle de *ré*, et la *sol*, qu'il ajusta aussi, jusqu'à ce qu'il en soit satisfait.

— T'es haut.

Juliette joua sa propre corde de *la*.

— Tu vois ?

David était un peu froissé par l'assurance de Juliette.

— Comment sais-tu que c'est toi qui es juste, et pas moi ?

— J'en sais rien. Je voulais pas te faire de peine, c'est juste que le *la*, c'est ça.

Elle le rejoua.

— Attendez-moi, attendez-moi !

Clothilde surgit entre les lutrins, vêtue que d'une camisole de basket, beaucoup trop grande, son violon dans les mains. Elle était toute souriante.

— On était juste en train de s'accorder.

— Je sais. *By the way*, David, ne discute pas avec Juliette, c'est un diapason. *Perfect pitch*.

— C'est vrai, Juliette ? T'as l'oreille absolue ?

Juliette rougit.

— Ahhhh, mais pas juste l'oreille… !

Les deux filles éclatèrent de rire comme deux gamines. C'était bien la première fois que David entendait Juliette faire une blague. Il ne chercha pas à comprendre ; de toute façon, l'hilarité de ses compagnes ne signifiait pas nécessairement qu'il y avait quelque chose à comprendre.

— Alors, on la tue cette jeune fille ?

Si les trois musiciens n'étaient pas tout à fait réveillés, les premières notes de *La jeune fille* allaient rapidement s'en charger.

Le quatuor commence en coup de tonnerre, *fortissimo*, tous les instruments exécutant la même séquence rythmique, comme un cri de rassemblement sauvage, ou des coups de couteau répétés, ou un accident de la route avec blessés.

Bien sûr, il leur manquait l'alto, mais le trou ne paraissait pas trop. D'ailleurs, Clothilde avait la partition de l'alto ouverte à côté de la sienne, au cas où il faudrait combler. Il lui suffisait alors de jouer une note au-dessus de ce qu'elle lisait, puisque l'alto se lit en clé de *do* troisième ligne plutôt qu'en clé de *sol* deuxième ligne pour le violon, ou en clé de *fa* quatrième ligne pour le violoncelle. L'exercice n'est pas aussi exigeant qu'il y paraît, si on a fait son Conservatoire et que les leçons de solfège ont porté leurs fruits.

Ce va-et-vient entre les partitions la faisait cependant pivoter de quelques degrés sur sa chaise chaque fois qu'elle alternait entre elles, ce qui amena progressivement une des bretelles de sa camisole à se libérer de son épaule. Les mouvements de son bras droit pour l'archet avaient le même effet sur l'autre bretelle. Elle eut bientôt un sein à découvert. Peut-être ne s'en aperçut-elle pas. Elle ne semblait pas s'en soucier.

Juliette aussi se démenait, de telle sorte que la ceinture de son peignoir s'était dénouée. Son instrument faisant tout de même office de paravent.

Vu l'exigence de la partition de premier violon, David était très concentré. Il ne remarqua rien de la tenue de ses compagnes. Son expérience avec le Mendelssohn un plus tôt avait eu l'effet d'une douche froide. Il voyait bien que s'il continuait sur la voie de la facilité, sa technique en souffrirait et que la pente serait de plus en plus difficile à remonter. S'il voulait maintenir le niveau, il devrait s'astreindre à un régime plus sévère. Les difficultés du Schubert qu'il était en train de jouer lui en faisaient encore la démonstration.

Ce n'était peut-être qu'une lecture entre amis, mais ce n'était pas une raison pour jouer approximativement. Pas ce matin.

Clothilde et Juliette se débrouillaient très honorablement avec leurs propres partitions, même que Clothilde en suivait deux en même temps.

Ils l'avaient prise à un bon tempo, *La jeune fille*, mais ils tenaient bon.

C'était de la vraie musique de chambre, où tous les instruments sont mis en valeur, où tous doivent demeurer vigilants. Les instruments dialoguaient, le ton était vif, les contrastes parfois soudains. Cafouiller dans une phrase, et c'était la réponse de l'interlocuteur qui serait compromise ; la réussir permettait le relais pour que la course continue.

À un moment, ils émergèrent d'un passage particulièrement difficile dans un grand éclat de rire, frissonnant de leur exploit et de cette musique qu'ils avalaient à grandes gorgées. Ils poursuivirent leur cavalcade dans la lumière du matin, le sourire aux lèvres, grisés par la beauté de ce qu'ils jouaient, par leur jeunesse, et s'amusant de leur nudité.

Quand ils eurent joué la dernière note du premier mouvement, ils restèrent immobiles et silencieux pendant deux ou trois secondes, le temps que l'écho de leur musique se dissipe complètement.

David embrassa du regard ses belles compagnes.

Clothilde posa la pointe de son archet sur le genou de David, puis remonta jusqu'à l'embrasure de son caleçon.

— Alors, mon beau, t'aimes ça jouer avec des filles déshabillées ? Ou t'aimes mieux les caresses de Robert Dubreuil ?

David para l'intrusion en reculant sur le coussin. Il contre-attaqua avec la pointe de son propre archet, faisant choir la bretelle de Clothilde qu'elle venait de remonter, la découvrant de nouveau.

— Salaud !

Pendant qu'elle réajustait celle-ci, David fit tomber l'autre bretelle de la même façon.

Clothilde se défendit en visant la braguette du violoniste en *boxer*. Tentant à la fois de viser, de tenir son violon et de couvrir sa poitrine dénudée, elle manqua son coup, qui atteignit plutôt le nombril de David.

— Ouch ! T'es folle ?

Il se leva pour mieux se défendre et fouetta au passage les fesses de Clothilde.

— Non ! Pas les fesses ! !

Juliette vint à la rescousse de son amie et, son violoncelle dans une main et son archet dans l'autre, s'attaqua elle aussi au sous-vêtement de David, qui tentait d'esquiver les coups entre les lutrins.

— Tiens ! Espèce de méchant !

Elle n'avait pas pris le soin de refermer son peignoir dont le ceinturon s'était dénoué plus tôt. Toute à son assaut, elle ne semblait pas se préoccuper de sa très petite tenue. Ce qui joua à son avantage, David se trouvant momentanément paralysé par l'étonnant et, il faut bien le dire, formidable spectacle. En effet, Juliette était dotée de sensationnels attributs dont David ne s'était jamais douté, ne l'ayant jamais vue habillée autrement qu'en tenue professionnelle avant ce matin.

Clothilde profita de la distraction pour poser son violon sur une chaise. Maintenant plus libre de ses mouvements, elle contourna le canapé pour à son tour fouetter son assaillant par-derrière.

David sauta pieds joints sur les coussins pour échapper aux deux amazones.

Essoufflé par ses tentatives d'esquives, il réclama un *time out* en faisant de grands signes, de son violon et de son archet qu'il avait toujours dans les mains. Pressé de toutes parts, il déposa son instrument sur le canapé, mais il garda son archet pour se défendre.

— Attendez, attendez ! ! !

Il dut bientôt quitter ce poste pour échapper aux assauts concertés des musiciennes qui profitaient de sa position vulnérable et qui couraient maintenant derrière lui à travers l'appartement en criant.

Ils jouèrent ainsi à se poursuivre et à se donner des coups d'archet, des tapes et des pincettes, Clothilde se liguant parfois à David pour surprendre Juliette, et vice et versa ou chacun pour soi.

Embarrassée par son peignoir dénoué, Juliette préféra l'enlever complètement et s'en servir comme bouclier pour parer les coups de cravache qui lui étaient destinés. Clothilde vit que c'était une bonne idée et fit de même de sa camisole qu'elle enleva prestement.

David était cerné. Un corps à corps s'engagea. David ne fit aucun effort pour se défaire de l'emprise, mais les filles découvrirent tout à coup que le jeune homme était terriblement chatouilleux. Il se débattait tout en les suppliant d'arrêter. Il tenta de fuir. Elles ne le lâchèrent pas. Ils tombèrent tous les trois sur le canapé, en riant, essoufflés et pas mal échauffés…

— On vous dérange ?

Annie et Marianne se tenaient debout à l'entrée du salon.

— Ça fait trois fois que je sonne ! On entendait des cris dans l'escalier, on pensait qu'il y avait un problème.

— Comment t'es entrée ?

Encore prise en sandwich entre David et Juliette, Clothilde semblait davantage contrariée que mal à l'aise.

Annie agita son trousseau de clés au bout du bras. Elle ne semblait pas très contente non plus.

— Vous m'avez laissé un double « en cas d'urgence » ! À ce que je vois, c'était le temps que j'arrive !

Pour la deuxième fois en moins d'une heure, David se faisait surprendre presque tout nu. Il pensa que le moment était sans doute venu d'aller s'habiller. Surtout en présence de Marianne, qu'il ne connaissait pas vraiment. Il pivota doucement pour tenter de s'extraire de sa délicate position sans bousculer ses partenaires.

Clothilde lui facilita la manœuvre en se levant d'un coup sec pour confronter Annie face à face.

— Eille, pour qui tu te prends, Annie Clermont ?

Juliette ayant dû elle-même s'écarter du chemin pour laisser passer Clothilde, elle en profita pour aller faire du café à la cuisine. Elle cueillit son peignoir au passage, mais ne l'enfila qu'après avoir sorti les tasses pour tout le monde, le lait, le sucre et les avoir disposés sur un plateau. Juliette n'aimait peut-être pas les confrontations, mais elle n'allait pas pour autant se rhabiller juste parce qu'Annie semblait choquée.

Annie et Clothilde continuaient à s'engueuler.

— Vous deviez avoir hâte que je parte hier soir ! T'avais juste à me le dire que vous aviez un petit ménage à trois en perspective, je ne me serais pas imposée !

— De quoi tu parles ? Et veux-tu bien me dire qu'est-ce qui te trouble comme ça ?

Annie ne sut pas quoi répondre. Elle-même ne savait trop ce qui la mettait dans cet état. La surprise ? Le sentiment d'avoir été trahie ? Le fait qu'elle se démenait pour trouver du travail à ceux qu'elle croyait être ses amis, et que ceux-ci se payaient du bon temps en son absence ? Ou était-ce le fait que Clothilde avait entraîné Juliette, la plus innocente des innocentes, dans ce jeu ? Elle l'ignorait. Mais sa colère était réelle.

— Marianne, toi, le sais-tu ce qui la pique, ta blonde, ce matin ?

Annie s'interposa.

— Ne mêle pas Marianne à cette affaire-là.

La grande Marianne semblait plutôt s'amuser de la situation, même si elle voyait bien que sa compagne ne riait pas du tout. Elle était habituée aux sautes d'humeur d'Annie, qui avait un formidable tempérament. C'est d'ailleurs ce qui l'avait tout de suite attirée chez elle. Marianne avait rapidement su voir au-delà de l'image qu'Annie aimait bien projeter d'elle-même : fonceuse, perfectionniste, professionnelle... Annie était tout ça, mais Marianne avait aussi un accès privilégié à la tendresse et à la vulnérabilité de sa petite altiste chérie. Ce matin, elle imaginait qu'Annie était tout simplement contrariée de voir que du monde s'amusait alors qu'elle devait se rendre au travail.

Ce que Marianne ignorait encore, toutefois, c'est que son amoureuse était également troublée par le fait qu'elle devrait lui préférer David pour les éventuels engagements avec madame Greenberg, qu'Annie avait rencontrée la veille. Annie n'avait pas voulu lui en parler tout de suite, d'une part parce que ce n'était pas encore chose faite, d'autre part par crainte de blesser Marianne en lui préférant un autre violoniste pour son quatuor. Et par-dessus le marché, un violoniste tout nu, idiot et irresponsable.

C'était cependant sous-estimer la capacité de compréhension de la placide Marianne.

Il demeure que la vision de la belle Juliette dénudée, entre les bras de Clothilde et de cet imbécile de David, avait particulièrement piqué Annie.

Non pas qu'elle ait eu quelque dessein particulier — du moins, avoué — pour la superbe violoncelliste au corps et à la chevelure de Vénus, mais Annie avait toujours entretenu une attitude protectrice envers Juliette, comme si celle-ci était trop naïve et fragile pour prendre soin d'elle-même. Ce qui n'était pas complètement dépourvu de fondement.

Quoi qu'il en soit, la séance de crêpage de chignon fut soudainement interrompue par le cri de David, qui venait de soulever le coussin du canapé sur lequel les trois amis avaient atterri deux minutes plus tôt.

— MON VIOLON !

L'instrument que David avait déposé sur le dessus du canapé pendant qu'ils faisaient les guignols avait — semble-t-il — glissé derrière un coussin du dossier.

David constatait avec effroi les dégâts que leur chute avait causés.

Il n'osa pas y toucher tout de suite, de peur d'aggraver les choses, mais il voyait bien que ça n'allait pas du tout. Il était en état de choc.

Le chevalet était tombé. Le manche était détaché du corps. Une fissure de quelques centimètres était visible sur la table d'harmonie. Les cordes étaient affaissées ; la mentonnière, dévissée. Le cordier désaxé.

De ses mains tremblantes, David retira délicatement l'instrument brisé du lieu de l'accident.

*Rrrrr-toc… Rrrrr-toc…*

## CHAPITRE 5

Elle avait toujours été folle.

Sauf que, depuis toujours aussi, on avait mis ses comportements excessifs sur le compte de son tempérament artistique fougueux ou de sa charmante excentricité. Parce qu'elle était si belle. « On », c'était tout le monde, sauf Robert.

Elle n'était pas moins folle pour autant.

On ne dit plus des fous qu'ils sont fous. On en a même fait une qualité enviable. Folie douce. Comme si une telle chose existait !

À force d'inventer des détours, de penser *outside the box*, que reste-t-il dans la boîte ?

Pour Robert, en tous cas, il n'y avait jamais eu de doute dans son esprit. Sa mère était folle. Mais c'était sa mère quand même. La seule qu'il avait.

Et ce n'est pas tout à fait exact d'affirmer que la folie de Jasmine n'avait jamais fait de doute dans l'esprit de son fils. Il lui avait fallu un certain temps — des années, en fait — avant de se rendre compte que tout le monde n'était pas comme sa mère. Et même après avoir réalisé qu'elle était différente des autres mères, des autres personnes, que cette différence n'était pas nécessairement un avantage ou un signe de supériorité.

C'est ce qui est embêtant avec la folie. Lorsqu'elle est combinée avec la beauté et le talent, on serait prêt à croire que c'est ce à quoi chacun devrait aspirer. Vivre sans compromis. Dans l'absolu. Hors de la réalité mesquine, quotidienne, banale. Avec ses propres émotions comme seul jalon de ce qui est vrai.

C'est en tous cas, ce qu'on avait longtemps dit de Jasmine. Voilà une artiste. Une vraie.

Mais il ne se trouvait plus grand monde pour dire quoi que ce soit au sujet de Jasmine maintenant.

Si, toutefois. Les médecins qui en avaient soin avaient trouvé un autre mot pour parler d'elle. Alzheimer. À une autre époque, on aurait dit «démence», voire «folie».

Six mois plus tôt, Robert avait accueilli le terrible diagnostic avec une espèce de soulagement. Comme si, tout à coup, on le déclarait sain d'esprit en lui confirmant que sa mère n'avait plus toute sa tête.

Les médecins l'avaient bien sûr consulté pour connaître les antécédents médicaux de sa mère avant d'en arriver à cette conclusion. C'est ainsi que Robert avait appris que Jasmine avait probablement souffert toute sa vie de problèmes mentaux. D'un certain débalancement, de troubles émotifs, à tout le moins.

Il n'était donc pas fou, lui. C'était bien elle.

Maigre réconfort.

Et c'est bien de réconfort dont Robert aurait eu besoin ce matin, alors qu'il attendait la police, assis par terre dans le salon de sa mère.

La sonnerie du téléphone l'avait tiré du lit à cinq heures du matin. Jasmine avait perdu toute notion de temps dans la dernière année et pouvait appeler son fils à toute heure du jour ou de la nuit. Parfois, c'était pour lui dire qu'elle avait entendu un bruit, qu'il devait venir tout de suite parce qu'il y avait un voleur dans la maison. Parfois, c'était pour lui jouer quelque chose au piano, une pièce formidable qu'elle venait de découvrir.

C'était d'ailleurs ce qui lui avait tout d'abord mis la puce à l'oreille quant à la maladie de sa mère.

Il devait être onze heures du soir. Le téléphone avait sonné. C'était Jasmine, tout excitée, au bout du fil.

— Robert ! Robert ! Écoute !

Il avait entendu le bruit du combiné qu'elle avait laissé choir sur le guéridon de marbre de l'entrée, puis le bruit de ses pas jusqu'au piano. Il avait entendu le grincement du banc qu'elle approchait de l'instrument, puis les premières notes du deuxième *Prélude en do mineur* de Bach, qu'elle avait joué jusqu'à ce qu'elle bute quelques mesures plus loin.

Elle était revenue au téléphone précipitamment.

— As-tu entendu ?

— Oui, m'man. C'est un prélude du *Clavier bien tempéré*. Pourquoi ?

— Tu connais ça ?

— Évidemment ! Qu'est-ce que tu racontes ! ? Maman, il est onze heures ! Pourquoi tu m'appelles si tard ?

— Moi je ne connaissais pas. Bach, tu dis ? C'est beau, n'est-ce pas ? J'ai hâte de découvrir le reste… Attends un peu, je vais essayer d'en lire un autre bout…

Et elle était repartie jouer.

Robert était resté en ligne quelques minutes à écouter sa mère « déchiffrer » cette partition de Bach qu'elle avait pourtant jouée toute sa vie. Il s'aperçut que non seulement n'en gardait-elle aucun souvenir, mais qu'en plus elle semblait découvrir cette musique pour la première fois.

À ce moment, en conjuguant ce dont il venait d'être témoin aux soupçons qu'il entretenait déjà au sujet de sa mère, il avait compris deux ou trois choses : 1. Elle ne reviendrait pas au téléphone et il avait raccroché. 2. Il fallait faire examiner la tête de Jasmine. 3. La folie peut faire en sorte qu'on oublie Bach et qu'on le découvre à nouveau.

Cette dernière pensée l'avait alors intrigué et, depuis que la maladie de sa mère avait finalement été diagnostiquée, continuait à le fasciner.

Il l'enviait presque. Parce que ses facultés musicales semblaient intactes pour le moment, Jasmine demeurait pourvue des moyens d'une musicienne aguerrie tout en profitant de cet état de perpétuelle virginité devant cette musique éternelle. Une chance inouïe, déguisée en malheur.

Robert imaginait que ça devait être comme lire *Cyrano de Bergerac* pour la première fois. Manger du chocolat pour la première fois. Entendre le deuxième mouvement du *Trio en si bémol* de Schubert, opus 99, pour la première fois. Chaque jour, pour la première fois. Il semblait que cette tragique maladie ne comporta pas que des inconvénients, surtout pour un musicien.

Les humeurs de Jasmine devenaient cependant de plus en plus changeantes. Mais elle avait toujours été d'humeur si volatile qu'il n'était donc pas facile de faire la différence entre la folie d'avant et la folie de maintenant.

C'était sans doute la raison pour laquelle Robert avait tant tardé à agir pour que sa mère obtienne des soins.

Les colères, les larmes de sa mère, ses débordements de rage comme d'extase, avaient toujours fait partie du personnage. Au cours des années, bien des hommes étaient passés dans leur vie, séduits par la beauté de Jasmine et sa soif d'absolu, mais aucun n'était jamais resté assez longtemps pour assister à tout le spectacle. Assis aux premières loges depuis le début, seul Robert pouvait finalement témoigner du registre complet des émotions de sa mère. Et ça n'avait pas toujours été joli joli.

Elle avait fait des scènes terribles devant bien du monde, de formidables pertes de contrôle au cours desquelles des services de vaisselle complets avaient été mis à mort avec grand fracas. Une parole, un geste, fait ou omis, pouvait déclencher l'orage, sans qu'on s'y attende. Quoiqu'il fût toujours hautement prévisible. La véritable origine de ces tempêtes soudaines demeurait cependant mystérieuse. Tout donner. Toujours tout donner. Peut-être que rien de ce qu'on reçoit en retour ne peut jamais se mesurer.

Mais les démonstrations de Jasmine excitaient sa cour plus qu'elles ne l'effrayaient. C'était le gage de moments forts, inoubliables, qui suivraient peut-être.

Le désespoir, cependant, elle le réservait pour Robert, comme un ultime cadeau.

Pour les amants, la beauté de Jasmine excusait tout, jusqu'à ce qu'ils s'en lassent. Ils en tiraient tous les avantages et n'en subissaient aucune conséquence. Pour Robert, dépositaire de toute l'amertume de cette femme blessée, c'était autre chose.

Et il constatait ces jours-ci que les années n'avaient pas su alléger la charge. C'était peut-être pire maintenant qu'elle était vieille, seule et malade.

Heureusement, il y avait le violon. Robert s'en voulait de l'avoir oublié chez lui. Avoir su, il l'aurait apporté. Il serait tout de même arrivé chez sa mère en catastrophe, tout de suite après son coup de fil. Il l'aurait tout de même trouvée affolée par les fantômes qui rôdaient autour d'elle.

Elle l'aurait tout de même pris pour un de ces fantômes.

Elle aurait fui dans la cuisine, de la même façon.

Elle se serait emparée d'un grand couteau, de la même façon.

De la même façon, il aurait tenté de la « réveiller », de lui expliquer qu'il n'était ni un fantôme, ni un voleur, ni un agresseur, malgré ses protestations, mais qu'il était son fils et qu'elle devait lâcher le couteau.

S'il avait eu son violon, il aurait pu courir se réfugier au salon, sortir l'instrument en vitesse et se mettre à jouer le *Printemps*, cette sonate de Beethoven, celle qu'il lui jouait, enfant, pour la consoler de ses chagrins, pour la sortir de sa détresse. Parce que, depuis toujours, jouer du violon était la seule façon pour Robert de communiquer avec sa mère, d'obtenir un instant son attention, de lui rappeler qu'il existait, qu'ils étaient ensemble, et que tout irait bien, c'est promis, tant que la musique continuerait.

Sans violon sous la main, Robert avait plutôt retraité vers l'entrée pour s'emparer du téléphone et appeler du secours. Il n'avait eu que le temps de donner l'adresse avant de raccrocher en vitesse.

Jasmine s'était précipitée sur lui. Il avait réussi à la faire tomber, puis à l'immobiliser contre le sol alors qu'elle tentait de toutes ses forces de se défaire de l'emprise. Il avait pu saisir le frêle poignet de sa mère enragée, l'écraser jusqu'à ce que le couteau tombe de sa main, s'emparer de celui-ci et, pendant une seconde, contempler la possibilité de le planter dans le cœur de Jasmine. Pour toutes les fois où elle s'était dite déçue de lui, après tous ses supposés sacrifices pour que son fils devienne un grand violoniste alors que lui se contentait de médiocrité, qu'elle lui avait fait le coup de la mère tellement éplorée que « c'est comme si on lui plantait un couteau dans la poitrine », l'occasion aurait été belle.

— Tu vois maman ? Bing. C'est ça, un couteau dans le cœur.

Mais il ne le fit pas.

Surtout que ce con avait saisi le couteau par la lame. De sa main gauche en plus, alors qu'on lui avait tant répété au Conservatoire :

*Lorsque vous vous battez à l'arme blanche dans une ruelle, de grâce, ne saisissez pas le couteau de votre agresseur par la lame, et surtout, surtout, pas de la main gauche !*

Il n'avait jamais été un très bon élève.

De sa main ensanglantée, Robert lança le couteau sous un meuble, tout en gardant Jasmine immobilisée. Elle criait et se débattait, mais ses forces faiblissaient. Robert resta dans cette position jusqu'à ce qu'elle se calme un peu.

— Maman, Maman, c'est moi, c'est Robert…

Il se coucha complètement sur elle. Son visage contre celui de sa mère, sa bouche sur l'oreille de Jasmine.

— Maman… chuchota-t-il… écoute… *Muuuuuusic, muuuuuuuusic fooooor a while, shall all your cares beguile….*

En cinquante années, Robert ne se souvenait pas de s'être jamais trouvé dans cette position.

Tout petit, peut-être s'était-il couché sur sa mère, espérant une caresse ou un mot doux. Mais ces souvenirs étaient assez lointains et confus pour qu'il doute que la chose se soit vraiment produite.

Se battre avec elle, oui, c'était arrivé. Se défendre, au moins. La plupart du temps, son violon et son archet dans les mains, alors qu'il devait éviter une claque parce qu'il ne travaillait pas avec tout l'acharnement que Jasmine espérait de lui. Et elle n'avait pas tort. Il était horriblement paresseux.

Mais une vraie empoignade, se rouler par terre avec sa mère, la sentir se débattre de toutes ses forces ? Non. Ça, c'était nouveau.

Étrangement, une fois la bataille terminée et sa mère maîtrisée, Robert sentit un voile de quiétude se déposer doucement sur leurs deux corps enlacés.

Il aurait sans doute préféré un autre chemin pour atteindre une telle proximité avec sa mère, mais il fut surpris de se sentir si bien pendant quelques instants. Comme s'il la sentait pour la première fois. Étonné que le dragon qui l'avait si longtemps terrorisé ne se révèle en fait qu'une petite chose dont il pouvait maintenant évaluer le poids à une quarantaine de kilos, tout au plus.

Quelque part aussi, sans doute, mais Robert n'était peut-être pas assez malin pour s'en rendre compte sur-le-champ, avec sa main qui saignait et le branle-bas du récent combat, le petit garçon en lui venait de posséder sa mère, d'une autre manière que tous ces hommes l'avaient fait sous son nez, mais tout de même.

Jasmine semblait tout à fait détendue maintenant. La chanson de Purcell que Robert lui avait soufflée à l'oreille avait fait son effet.

Robert put enfin se lever.

Elle vit qu'il saignait abondamment.

— Robert ? Qu'est-ce qui t'est arrivé ?

— Rien, maman. Je me suis coupé en me rasant.

Elle se leva aussi et se dirigea au piano, comme si de rien n'était.

Robert courut à la salle de bain pour constater les dégâts. Et dégâts il y avait. En passant sa main gauche sous le robinet, il vit la profonde incision entre son pouce et l'index, comme ce qu'on fait à un poulet pour séparer la cuisse de la poitrine.

Il trouva un rouleau de gaze et des diachylons dans la pharmacie et réussit à se fabriquer un garrot au poignet et un pansement sur la blessure proprement dite.

Il éprouva toutes sortes de difficultés parce que sa main droite le faisait souffrir encore plus que la gauche, bien que celle-ci n'ait subi aucune coupure apparente. Mais elle était drôlement enflée. L'annulaire et l'auriculaire allaient dans toutes sortes de directions pas normales, comme s'ils n'appartenaient pas à la même main. Ce n'était pas beau à regarder.

Il avait dû se les écraser ou les tordre pendant le pugilat avec Jasmine. En tous cas, ils avaient toute l'apparence de doigts cassés bien comme il faut.

Alors que les notes de *Un Sospiro* de Liszt lui parvenaient du salon, Robert prit un moment pour jauger la situation.

Les yeux dans les yeux de son reflet que lui renvoyait le grand miroir de la pharmacie, Robert fut surpris d'y voir le regard d'un vieux bonhomme. Lui qui était si jeune, encore pas plus tard que la semaine dernière.

« Ça ne peut plus continuer comme ça », pensa-t-il.

Robert n'était pas sûr de ce que signifiait exactement « comme ça ». Une espèce d'inertie, sans doute. Une lourdeur. Un sommeil éveillé. Une basse continue sans surprise, en contrepoint du reste du monde. Un ostinato en boucle. Toutes sortes d'autres métaphores musicales lui vinrent à l'esprit et il perdit encore un peu de temps à ce jeu. C'était justement le problème. Il se prenait toujours les pieds dans des détails qui n'intéressaient que lui, en fait, qui allaient parfois jusqu'à l'ennuyer lui-même.

Il regrettait maintenant d'avoir appelé la police tout à l'heure en se sauvant de la dangereuse pianiste au couteau. Pourquoi d'ailleurs n'étaient-ils pas encore là ? Si les choses s'étaient passées autrement, Jasmine aurait déjà eu le temps de le découper en petits morceaux.

Robert préférait ouvrir lui-même lorsque la police arriverait. Dieu sait comment Jasmine pourrait réagir et ce qu'elle pourrait raconter aux patrouilleurs si elle les accueillait ! Il sortit de la salle de bain en vitesse, une serviette de bain à la main pour éponger les traces de sang qui maculaient la scène du crime et remettre un peu d'ordre aux alentours.

Satisfait de son petit ménage, il n'avait plus qu'à attendre et à inventer une bonne excuse pour son appel de détresse.

Après le diagnostic d'Alzheimer, Robert s'était renseigné sur ce qui les attendait au cours des prochains mois. Il savait que sa mère ne pourrait éventuellement plus prendre soin d'elle-même, que d'habiter seule pouvait être dangereux. Elle pouvait mettre le feu, se blesser, sortir et se perdre et toutes sortes de semblables gaietés. Il avait visité deux ou trois endroits où on hébergeait ce genre de cas désespérés et, aussi bien intentionnés qu'aient pu être les gens qu'il y avait rencontrés, Robert savait que sa mère n'y survivrait pas longtemps. Dans ces circonstances, la visite de la police risquait d'éveiller les soupçons sur l'état de Jasmine, ce qui équivalait à la condamner illico, un geste qu'il n'était pas encore prêt à poser.

Avec les mains dans cet état, il devrait sans doute prendre congé de l'orchestre pendant un moment. Cette pause lui laisserait du temps pour prendre soin de Jasmine et mieux évaluer la situation. Il devait se faire soigner, c'est certain, mais handicapé comme il l'était, il préférait aussi ne pas se retrouver complètement seul pendant sa convalescence.

Maintenant qu'il se savait plus fort qu'elle, dans la mesure où il réussissait à la garder loin de la coutellerie, c'était peut-être l'occasion de prendre des espèces de vacances en compagnie de sa mère, avant que l'esprit de Jasmine ne s'évapore complètement. Peut-être un voyage ? Il était encore trop tôt pour planifier ce genre de chose. Pour l'instant, l'exploration des méandres de l'imagination de Jasmine était une expédition déjà amplement exotique.

On sonna à la porte.

Robert n'avait toujours pas formulé dans son esprit d'explication plausible pour justifier son appel.

Il ouvrit.

Deux policiers en uniforme se dressaient devant lui.

— On a reçu un appel. C'est vous le propriétaire ici ?

— Non, c'est ma mère. Jasmine Dubreuil.

Robert fit entrer les deux hommes. Il leur indiqua Jasmine, qui n'avait pas quitté son piano. Elle continuait sa lecture de Liszt.

Un des policiers remarqua le bandage grossier sur la main de Robert.

— Grosse blessure ?

— Oui, en fait, c'était ça, mon appel. Je me suis coupé. Ça saignait beaucoup...

L'autre policier faisait le tour de l'appartement. Il s'approcha de Jasmine.

— Madame ?

Elle continuait à jouer.

— Madame ? Pourriez-vous arrêter la musique, s'il vous plaît ?

— C'est du Liszt, lui répondit-elle en souriant.

Mais elle n'interrompit pas la pièce pour autant.

Le policier se tourna vers son collègue en faisant « ? » des sourcils.

Robert n'était pas tout à fait surpris. Jasmine adorait initier les gens à la musique. De force, s'il le fallait.

Gamin, Robert avait perdu bien des copains de classe de cette façon, chaque fois qu'il avait réussi à en inviter un à venir jouer chez lui. Impossible de mettre les pieds dans la maison sans recevoir un concert à la figure.

Et il fallait garder le silence pendant que Jasmine jouait, sinon elle se fâchait.

Lorsqu'elle finissait par arrêter, il fallait encore se taper sa conférence sur le compositeur de la pièce qu'elle venait d'interpréter. Suivait une courte présentation sur la mécanique de l'instrument. Elle levait le couvercle du piano, elle expliquait la table d'harmonie, les cordes, les marteaux, les pédales…

C'était encore pire pendant les quelques années de sa période baroque. Un admirateur lui avait procuré un très beau clavecin français, à deux claviers, avec des enluminures dorées tout le tour de la caisse et des touches blanches et noires, plutôt que noires et blanches qu'on trouve habituellement sur un piano. Il avait des clés et des leviers pour engager chacun des jeux, et plein d'autres accessoires fascinants.

La portion mécanique de la présentation durait donc encore plus longtemps. Parce que l'accord du clavecin est moins stable que celui d'un piano, Jasmine disposait d'un tas de petits outils pour accorder l'instrument : un levier pour tendre les cordes, des diapasons pour chaque note, de petits couteaux pour tailler les plectres ou ajuster les sautereaux, sans compter la vidange d'huile tous les cinq mille kilomètres et la rotation des pneus. Un peu comme les hautboïstes qui sont toujours en train de tailler leurs anches, les clavecinistes adorent farfouiller dans leur instrument. Jasmine ne faisait pas exception et elle était en plus investie de la mission d'éduquer les masses.

Ça ne partait sans doute pas d'un mauvais sentiment. Mais comment pouvait-on ainsi exister dans un monde aussi hermétique, où seule la musique, et encore pas n'importe laquelle, importait ?

Soumis à cette torture, les petits camarades de Robert ne s'attardaient pas. Puis un jour, il n'en vint plus du tout.

— De petits imbéciles incultes, disait Jasmine pour consoler son fils.

Au début, il la croyait.

Sa mère était le juge suprême et infaillible de la valeur des gens. Une valeur qui ne se mesurait qu'à leur capacité de jouer de la musique ou, à tout le moins, de l'apprécier. D'ailleurs, il ne devait pas être le seul à l'idéaliser de cette façon, il semblait ne jamais manquer de musiciens et de « bonhommes » de toutes sortes pour venir se prosterner à ses pieds. Alors, les petits copains de l'école, ce qu'ils pensaient…

Peu à peu, cependant, Robert commença à soupçonner que Jasmine ne possédait peut-être pas toutes les vérités. À mesure qu'il grandissait, qu'il avait affaire non pas qu'à des petits camarades d'école, mais à de sympathiques professeurs — de musique ou d'autres matières — ou à des collègues musiciens, qui eux aussi étudiaient, avaient du talent… tous ne lui apparaissaient pas nécessairement comme de « petits imbéciles incultes ». Même que certains lui semblaient souvent plus approchables et exprimaient des opinions plus nuancées que celles de sa mère. Des attitudes moins flamboyantes, peut-être, mais le calme, c'était pas mal non plus. Le calme, la douceur. Les promesses tenues.

Même s'il voyait tout ça, ou s'en aperçut éventuellement, il avait été si mal préparé au langage de l'affection que ses tentatives de rapprochement se terminaient toujours au mieux en queue de poisson, au pire en échec lamentable et douloureux.

C'est un vocabulaire qui s'acquiert jeune. Celui de la confiance. La confiance qui naît de la constance. Lui, il avait plutôt grandi en redoutant le pire, parce qu'il arrivait parfois, de façon imprévue. Mieux valait ne faire confiance qu'à soi-même.

Et ce matin, le pire pouvait encore survenir s'il ne prenait pas les choses en mains.

— Veuillez excuser ma mère. Elle est vieille et un peu sourde. Je vais lui parler, si vous permettez.

Il s'approcha à son tour.

— Maman, ces messieurs veulent te poser des questions.

Elle s'arrêta enfin de jouer.

— Bonjour Messieurs. Excusez le désordre. Robert, leur as-tu offert quelque chose à boire ? Un café ?

Robert s'était peut-être inquiété pour rien. Jasmine répondait gentiment à toutes les questions qu'on lui posait. Oui, elle habitait bien ici. Oui, Robert était bien son fils venu la visiter. Non, à part la coupure que Robert s'était faite, il n'y avait pas eu d'incident.

Le plus jeune des deux policiers demanda cependant à Robert de le suivre dans la cuisine pour lui parler seul à seul. Probablement voulait-il isoler les témoins pour comparer leurs versions.

— Alors, vous vous êtes coupé ? Racontez-moi ce qui s'est passé.

Robert tenta de lui expliquer qu'il voulait préparer le petit déjeuner de sa mère et que… que…

— Il est où le couteau dont vous vous êtes servi ?

Robert avait oublié de récupérer le couteau qu'il avait lancé sous le canapé du salon. Les choses se précipitaient dans sa tête. Il se sentait rougir et peut-être même trembler… Il n'était pas très habile menteur.

Il préféra se rapprocher de la vérité.

— Ma mère m'a appelé très tôt ce matin. Elle avait peur qu'un voleur soit entré dans la maison. Quand je suis arrivé, elle était encore tout affolée. Elle avait pris un couteau de cuisine pour se défendre si elle rencontrait le voleur… Elle n'a plus toute sa tête, vous comprenez, mais je ne veux pas la placer dans un établissement…

— La coupure, comment c'est arrivé ? Et votre autre main, là, elle n'a pas l'air en super état non plus.

— Ah ça ? dit-il en levant sa main toute croche. Ça, c'est hier. Un accident stupide. Je suis tombé dans les marches de l'escalier chez moi. Il pleuvait, j'ai glissé, j'ai voulu amortir ma chute… Je ne pense pas que ça soit trop grave…

— Vous faites quoi dans la vie ?

— Violoniste. À l'orchestre…

Le visage du policier s'illumina.

— L'orchestre symphonique ? Je suis abonné ! Enfin, je l'étais. C'est drôle, je ne me souviens pas de vous avoir vu.

— Je suis assis pas mal dans le fond, vous savez.

La remarque fit rigoler le policier.

— Moi aussi ! C'est trop cher en avant !

— Et vous n'êtes plus abonné ?

— Non. Avec les horaires variables, c'est compliqué. J'étais souvent obligé de refiler mes billets. Maintenant, quand il y a quelque chose au programme que je ne veux pas manquer, je me fais remplacer. Surtout quand c'est des créations.

— Ça n'arrive pas souvent…

— Je sais, mais la musique contemporaine, j'adore ça. Les grandes symphonies, c'est toujours bien aussi, Beethoven, Tchaïkovski, mais les pièces modernes, c'est vraiment ce que je préfère. John Cage, Philip Glass… euh, l'autre là… Geich ? Greich ?

— Steve Reich ?

— C'est ça. Steve Reich !

— Ça me plaît bien aussi, mais c'est plutôt rasant à jouer dans l'orchestre.

— Ah oui ? Pourquoi ?

— C'est souvent assez répétitif, alors faut pas s'endormir parce qu'il y a des variations subtiles et inattendues qu'il ne faut pas manquer.

— Justement ! C'est ça qui est formidable, je trouve. C'est les détails…

Robert était étonné, non pas qu'un policier affectionne la musique contemporaine, mais que celui-ci prenne plaisir à converser avec lui, comme s'il était une vraie personne. Peut-être fréquentait-il simplement trop de musiciens et pas assez de gens normaux ? Ou peut-être était-ce le policier qui n'avait pas souvent l'occasion de parler à des musiciens ?

— En tous cas, vous allez être content, on joue du Messiaen dans deux semaines, la *Turangalîla-Symphonie*.

— Oui, je sais. J'ai déjà mon billet… D'ailleurs, pensez-vous…

Le jeune policier semblait hésiter.

— Oui ?

— Est-ce que je pourrais aller vous voir dans les coulisses? Je n'ai jamais vu comment c'est, de l'autre côté…

Robert lui montra ses mains blessées.

— Ah oui… C'est vrai, la coupure…

Il sortit un petit calepin pour prendre des notes. Il reprit son sérieux de représentant de l'ordre.

— Alors, qu'est-ce qui s'est passé? Elle vous a appelé parce qu'elle avait peur, vous êtes arrivé et elle avait un couteau à la main…

Cette fois, Robert était beaucoup plus détendu. Il répondit sans hésiter.

— J'ai demandé à ma mère de me donner le couteau. Elle ne voulait pas. Elle disait qu'elle avait encore peur, ou quelque chose comme ça. Je craignais qu'elle se blesse; j'ai voulu prendre le couteau de ses mains, je l'ai pris par la lame…

Le policier fit une grimace de sympathie.

— Ouch! Et il est où, ce couteau?

— Quelque part dans le salon. Je l'ai lancé, à cause de la douleur, quand j'ai vu que je m'étais fait mal et que ça saignait…

— Et vous avez appelé le 911…

— J'ai paniqué à cause du sang… Et je m'inquiétais pour ma mère… Je n'aurais pas dû, excusez-moi.

— Mais non, vous avez bien fait. Mais votre mère, là, pas sûr qu'elle devrait rester toute seule si elle fait des crises de peur comme ça. Et vous dites qu'elle n'a plus toute sa tête?

Le son du piano parvint à leurs oreilles. Jasmine s'était remise à jouer, pour son visiteur au salon.

Dans la cuisine, l'agent tendit l'oreille.

— Scarlatti?

— Oui, Scarlatti. Bravo! Je pensais que c'était le contemporain, votre spécialité.

— Oh, j'aime pas mal tout. Elle joue vraiment bien, votre mère. Vous êtes chanceux…

Robert ne l'avait pas toujours vu comme une chance, mais il pouvait comprendre qu'un mélomane y voie un avantage.

— Son piano, c'est l'air qu'elle respire. Si je la place, je la tue, vous comprenez ?

Le jeune homme réfléchit un instant.

La musique s'était déjà arrêtée.

— OK. Retournons au salon, il faut que je parle à mon *partner*.

Quand ils arrivèrent au salon, ils trouvèrent Jasmine et le policier la tête penchée au-dessus des cordes du piano dont le couvercle avait été levé.

Jasmine donnait sa leçon.

— Alors, ici, ce sont les marteaux. Vous voyez le petit mécanisme en dessous ? C'est très délicat. C'est ce qui permet de varier l'intensité du toucher…

Le jeune policier s'approcha de son collègue.

— Bernie ?

Il ne lui répondait pas.

— Bern ? Bernard ?

Le *partner* se retourna enfin. Il avait l'air de s'amuser.

— Claude, as-tu vu ça ? C'est plein de petits marteaux…

— Est-ce qu'on peut se parler ? Excusez-nous un petit instant.

Les deux agents allèrent discuter à l'écart.

— Alors ? demanda Claude, le jeune.

L'agent Bernie sortit son calepin de sa poche. Il en tourna une page et encore une autre. Puis, il sembla trouver ce qu'il cherchait.

— Ah oui, c'est ça !

— Quoi ?

— Elle joue du piano.

Claude comprit que son collègue lui tirait la pipe, comme il aimait souvent le faire.

— *Funny guy*. Rien d'autre ?

— Oui, oui, attends un p'tit peu.

Il recommença son manège du calepin.

— OK, oui. Une autre chose que j'ai remarquée.

— Je t'écoute.

— Elle est folle !

— Maudit que t'es niaiseux.

— Mais elle est belle en sacrament, pour une femme de son âge… As-tu vu ses yeux ? Pis elle a encore un petit *body* de course…

— Bernie, câlisse…

Dans le salon, Robert avait invité sa mère à s'asseoir près de lui, sur le banc de piano.

Elle prit place à sa droite, du côté de l'aigu. Elle posa ses mains sur le clavier.

— T'as vu mes mains ? As-tu vu comme elles sont vieilles ?

— Quel âge as-tu, maman ?

Jasmine porta la main à sa coiffure. Plus par gêne que par coquetterie.

— Oh, je ne m'occupe plus de ces détails-là. Je ne sais pas… la quarantaine ?

— Non, un peu plus que ça. Soixante-douze, je pense.

Elle éclata de rire.

— Moi ? Soixante-douze ? Ce n'est pas possible. C'est vrai ? Et toi, tu as quel âge ?

— J'ai cinquante ans, maman.

Jasmine sembla surprise, mais ravie.

— Cinquante ? J'ai un fils de cinquante ans ? Non… Tu me contes des histoires… Mais c'est vrai que j'ai un fils. Robert. Il a les cheveux tout frisés. Mon petit Robert… Il est où ?

— C'est moi Robert, maman.

— Toi aussi ? Est-ce que tu joues du violon ?

Robert en connaissait assez sur la maladie de sa mère pour savoir qu'il était inutile de s'obstiner à lui imposer une réalité qui lui échappait. Elle se tenait en équilibre sur le seuil d'une porte qui donnait sur un autre monde, un seuil qu'elle franchirait inexorablement. La peur d'être prise en défaut de ce côté-ci ne pouvait qu'accélérer sa fuite vers cet ailleurs, aussi insondable et terrifiant pouvait-il être.

— Oui, je joue du violon.

— Tu veux qu'on joue ensemble ?

— Je voudrais bien, mais je n'ai pas mon violon avec moi.

— Bien va le chercher ! Il doit être dans ta chambre.

« Ma chambre. »

Elle existait toujours, sa chambre, dans l'appartement qui l'avait vu grandir. Toute petite, voisine de celle de Jasmine.

Il y avait encore un lit, mais la pièce avait peu à peu été transformée en entrepôt de partitions. Les tiroirs de ce qui avait été son bureau de travail en étaient remplis. Ceux de la commode aussi. Les étagères et deux grands classeurs que Jasmine avait fait installer là débordaient également de cahiers de musique, apparemment pêle-mêle. Mais il se pouvait aussi que sa mère ait élaboré un savant système de classement dont elle seule détenait le code, puisqu'elle ne semblait jamais éprouver de difficulté à repêcher la partition voulue. À venir jusqu'à récemment, en tous cas.

Peut-être y trouverait-il un des petits violons qu'il avait utilisés lorsqu'il était enfant. Robert se leva pour aller vérifier.

Au même moment, les policiers terminaient leur conciliabule et l'interpellèrent.

— Monsieur Dubreuil ?

À leur avis, il leur semblait risqué que madame Dubreuil vive seule. Pour sa sécurité et celle des voisins. Avait-il planifié quelque chose pour que les services sociaux rendent visite à sa mère régulièrement ? Était-elle suivie par un médecin ? Financièrement, gérait-elle ses affaires ou avait-il obtenu un mandat pour cause d'inaptitude ? Une stratégie devrait être mise en place. Peut-être devraient-ils aviser eux-mêmes les services sociaux ?

Robert craignait justement que sa mère devienne un « cas social ».

Il ne le dit pas aux policiers, entre autres parce que l'idée venait tout juste d'apparaître à son esprit, mais il lui semblait que, depuis qu'elle était officiellement malade, Jasmine était devenue plus affectueuse, plus communicative aussi. Comme si en perdant des morceaux de son esprit, sa colère et sa hargne s'étaient aussi estompés. Cela représentait pour lui la chance de faire connaissance avec la jeune fille qu'avait été sa mère avant que les déceptions la changent en cette sorcière imprévisible. C'était aussi pour lui l'occasion de combler les trous de sa propre mémoire. Ceux dans lesquels il s'était souvent réfugié pour ne pas trop souffrir.

— Merci beaucoup, Messieurs. J'en ai déjà discuté avec ma mère. J'ai encore ma chambre ici. Je vais venir habiter avec elle, jusqu'à ce qu'on trouve une solution à plus long terme. Pas besoin de signaler quoi que ce soit pour le moment, si possible. J'irai chercher de l'aide au besoin. Je vous promets.

— Tiguidou, fit l'agent Bernie, qui avait déjà la main sur la poignée de porte.

Ils saluèrent Jasmine, restée assise au piano.

— Au revoir, Bernard. Revenez quand vous voulez. Vous aussi, jeune homme.

L'agent Claude laissa pour sa part ses coordonnées à Robert.

— Vous me ferez savoir si tout se passe bien ?

— Entendu.

Le stress de cette visite lui avait fait oublier la douleur de ses blessures qui ressurgit en un éclair alors qu'il tentait de refermer la porte derrière les policiers.

Il la rouvrit aussitôt.

— Messieurs ? Claude ?

Les policiers étaient encore dans l'escalier.

— Est-ce que vous pouvez nous emmener à l'hôpital ?

# CHAPITRE 6

À force de composer des *Variations Goldberg* pour David et ses collègues, des *Sonates et Partitas* pour violon seul afin que Robert les joue dans ses moments de spleen et des *Préludes pour clavier bien tempéré* que Jasmine redécouvrait quotidiennement, Jean-Sébastien Bach avait fini par mourir.

Il avait cependant prévu le coup.

Ayant produit une vingtaine d'enfants qui avaient eux-mêmes engendré une multitude de petits-enfants, il s'était assuré qu'il y aurait du monde à son enterrement.

Pour la musique, ça ne serait pas un problème non plus.

Un seul iPod touch de trente-deux gigabits n'aurait pas suffi à contenir tout ce qu'il avait composé. Il aurait fallu acheter de la mémoire supplémentaire. Vérification faite, sa production équivalait à cinquante-sept gigabits, soit cent soixante-quinze heures de musique continue encodée à bas régime.

Juste les messes, il y en avait pour des jours.

On eut donc l'embarras du choix pour créer de l'ambiance le jour de ses funérailles.

Malgré tout, Thérèse, une des cousines éloignées de JSB qui avait toujours espéré devenir vedette de la chanson, se proposa pour interpréter *Wie eine Sonne* pendant la communion. Il s'agissait d'une chanson populaire de l'époque composée par un ancêtre germanique de Michel Fugain.

Heureusement, Karl-Philippe Emmanuel veillait au grain et réussit à convaincre la cousine que sa performance aurait encore plus d'impact si elle attendait la réception après la cérémonie pour chanter, plutôt que de le faire cachée dans le jubé pendant la messe. Elle trouva l'idée formidable.

C'était en 1750. Le 28 juillet. À Leipzig. Soit à huit cents kilomètres de la commune de Thoiry, dans le Jura français.

On aura beau dire ce qu'on voudra à propos de l'effet des battements d'ailes de papillons sur le cours des choses, il ne s'agit que de papillons.

Les écureuils, c'est autre chose.

Établir le lien de causalité entre la mort de Jean-Sébastien Bach, ce jour de juillet 1750, et le fait qu'un écureuil — appelons-le Gérard pour préserver son anonymat — a ce même jour participé, dans une haute montagne du Jura, à un événement dont les conséquences se faisaient encore sentir aujourd'hui serait fastidieux. Cela dit, ce n'est pas parce qu'une démonstration est longue et complexe que ses conclusions doivent davantage être mises en doute que si elle était simple et brève.

Malheureusement, les témoins de l'événement sont rares ou récalcitrants, muets ou morts depuis longtemps.

Il ne s'agit pas tant ici de convaincre que de suggérer. D'évoquer l'idée que, si on peut convenir que le monde est petit, on peut aussi affirmer que le temps passe bien vite. Que la succession des saisons, des générations, des événements qui font l'histoire, la grande comme la petite, établit entre les choses des connexions qui, étonnamment, sont invisibles lorsqu'on les regarde de près et apparaissent lorsqu'on s'en éloigne.

Ce jour-là, donc, sans que cela puisse être prouvé hors de tout doute, les oiseaux de Leipzig étaient demeurés muets de stupéfaction à l'annonce du décès de Jean-Sébastien Bach.

D'oiseau en oiseau, d'oiseau en chat et de chat en chien, pour un instant, chacun abandonnait son activité du moment, se taisait, levait la tête ou orientait l'oreille vers cette étrange cascade de dominos silencieux qui se propageait comme une onde à travers la nature. Les conséquences de ce silence inattendu se firent sentir sur un très large périmètre. Au sud-ouest, jusque dans les montagnes du Jura.

C'est là qu'un écureuil nommé Gérard, qui transportait des graines dans ses bajoues, en laissa tomber quelques-unes à l'endroit où il se trouvait, surpris par la vague de silence qui parvint jusqu'à ses oreilles. Il se dressa sur les pattes de derrière pour mieux voir ce qui se passait.

Et c'est ainsi que la vie d'un arbre avait commencé.

La nature n'est pas tendre avec les arbres de cette région montagneuse. Le vent souffle fort et les hivers sont parfois très rudes. Sur le flanc nord où les graines étaient tombées et où cet arbre tentait de prendre racine, le sol était avare. Seuls les plus forts survivaient. Mais s'ils étaient bien accrochés, ils pouvaient vivre très longtemps.

Cet arbre-là vécut cent soixante-deux années exactement.

Le jour où il fut abattu, il mesurait au-delà de trente mètres et son tronc à la base en faisait presque quatre.

C'était un magnifique sapin. Un épicéa. La rigueur des hivers qu'il avait vécus, jumelée à des séries d'étés frais, avait contribué à la régularité de son grain. On ferait de jolies choses de son bois. Des tables d'harmonie de violon, par exemple.

Donc, le 18 janvier 1912, soit après cent soixante-deux années passées à braver les vents et les froids, l'arbre fut abattu par monsieur Auguste Lalonde, bûcheron, et découpé en rondins.

Un marchand de bois de la région de Mirecourt en acheta une bonne quantité. Il découpa quelques-uns des rondins en quartiers, qu'il entreposa dans sa boutique avec les autres morceaux qu'il laissait vieillir jusqu'à ce qu'ils soient prêts aux usages auxquels ils étaient destinés. Construction, ébénisterie ou lutherie.

C'est à sa boutique que le luthier Jules Leclais se rendit à l'automne 1922 pour choisir des pièces dignes des violons qu'il créait.

Monsieur Leclais était un habitué de la maison, comme plusieurs des luthiers qui foisonnaient dans la région de Mirecourt à cette époque.

Tous les ans, il y achetait du bois, qu'il choisissait avec minutie. De l'érable pour les fonds de violon. Du sapin pour les tables d'harmonie.

Jules Leclais aimait à se promener dans l'entrepôt et soupeser les quartiers de bois que le marchand lui proposait. Ce n'était peut-être pas une science exacte, mais Leclais aimait à croire qu'il possédait un sixième sens pour lire les bûches qu'on lui présentait. Plusieurs de ses instruments avaient déjà mérité de prestigieuses récompenses à des concours de sonorité. La sélection du bois était le premier geste vers ces éventuels succès. Une de ses méthodes consistait à laisser tomber le quartier de bois sur le sol de pierre pour en estimer la résonance. Celui-ci avait une sonorité plus sombre que celui-là ; cet autre semblait plus dense. Il cherchait des pièces bien vieillies, stables, dont le grain serré assurait une bonne résistance à la tension que le bois subirait lorsqu'il serait transformé en violon, en alto ou en violoncelle, tout en offrant assez de souplesse pour que sa voix puisse évoquer les accents de la voix humaine.

On lui présenta des pièces d'un sapin qui, selon le marchand, avait vécu plus de cent cinquante ans et avait grandi dans les hautes altitudes du Jura. Leclais préférait le bois des Balkans, mais le marchand n'avait ce jour-là aucune pièce qui faisait l'affaire, aux yeux et aux oreilles du luthier.

— Il a quel âge ?

— C'est écrit dessus. Abattu le 18 janvier 1912. Il a plus de dix ans, maintenant.

Il en rapporta trois quartiers à son atelier. Au cours des années qui suivirent, il fit quelques découpes verticales dans les quartiers du sapin du Jura, pour en extraire des tranches brutes dont il se servirait plus tard. Il classait ensuite ces planches selon un ordre que lui seul connaissait. Il en avait des étagères pleines, de toutes sortes de provenances, de grains, d'essences et, selon lui, de sonorités encore inexploitées.

Par la suite, Leclais quitta Mirecourt pour s'installer à Nantes. Sa collection de planches le suivait évidemment. Celles prélevées du sapin du Jura l'accompagnaient toujours lorsqu'il décida d'en faire des violons, à Paris, dans les années 1930.

Jules Leclais avait entrepris l'élaboration d'une série d'instruments en hommage au violoniste Enesco. Le luthier choisit son bois du Jura pour les dessus de quelques-uns de ces instruments. Le Clio, qu'il acheva en 1938, était de ceux-là.

Un collectionneur de Lyon acheta toute la série en 1940.

En 1956, le fils du collectionneur décédé entre-temps en vendit cinq à un marchand de Paris spécialisé dans les instruments « modernes ».

En 1958, Rodrigue Hardy entra dans la boutique et acheta le Clio.

Peu après la mort de Rodrigue, en 1999, le violon fut confié à son neveu David.

Entre le moment où la graine de l'arbre avait été déposée par un écureuil sur le sol du Jura — soit le jour de la mort de Jean-Sébastien Bach — et aujourd'hui, deux cent soixante-deux années s'étaient écoulées. Deux siècles et demi sans incident majeur, si on omet de considérer le point de vue de l'arbre, qui n'avait toujours pas digéré d'être abattu comme ça, dans la fleur de l'âge. Il ne voulait rien entendre et c'est ainsi qu'il résonnait toujours, même dans son état actuel.

Et là, le violon qu'on en avait fait était dans les mains de Sylvain.

Le luthier constatait les dégâts.

— Quand je te disais de prendre soin de ton violon, ça ne voulait pas dire de t'asseoir dessus pour le couver.

— Hahahahaha. Combien ?

— Mille cinq cents ? Deux mille ? Peut-être plus. Ça dépend de ce que je trouve en travaillant. Puis il y a le vernis…

— Mais je vais trouver ça où, moi, deux mille dollars ?

— Tu as des engagements en vue ?

— Oui, mais comme tu peux imaginer, sans violon, ça ne va pas être facile.

— Tu chantes ?

David était désemparé. Qu'allait-il dire à son père ? La réponse était facile : rien. Il ne devait pas apprendre que son fils avait brisé ce bijou de famille, surtout dans les circonstances que l'on sait. David ne pourrait non plus lui demander une avance, à moins de mentir et de lui dire que c'était pour se payer une formation de comptable ou d'agent d'assurances. Il faudrait ensuite expliquer pourquoi il n'avait pas obtenu le diplôme.

— T'es sûr ? Deux mille ?

— Non, je ne suis pas sûr encore, mais ça va te coûter des sous, c'est certain. T'as vu la gueule qu'il fait, ton Jules Leclais ?

— Et t'en as pour combien de temps ?

Sylvain réfléchit un instant.

— Un mois ? Peut-être deux ?

— T'es malade ?

Sylvain était froissé. Ah, on aimait bien venir chez lui pour prendre un coup, acheter une corde par-ci, remécher un archet par-là, ne lui confier que de petits ajustements parce que, pour les vrais problèmes, l'ami Sylvain n'était peut-être pas à la hauteur. Mais il avait un loyer à payer, lui aussi !

— Ce n'est pas une aile de voiture cabossée que t'as là, mon ami. Ça va prendre un certain temps. Il y a des étapes, et des jours entre les étapes si tu veux que, d'une part, ça tienne, et d'autre part, que ça ne paraisse pas ! Tu peux aller chez Collin si tu veux !

— La réparation va me coûter le prix du violon…

— Bon. Est-ce que tu me fais confiance ?

David dut réfléchir à son tour. Du regard, il consulta Clothilde et Juliette qui l'avaient accompagné par solidarité. Et aussi parce qu'elles se sentaient un peu responsables…

Juliette intervint.

— Je peux t'avancer l'argent si tu veux.

Tous les yeux se tournèrent vers la belle Juliette.

Clothilde la prit par le bras.

— Depuis quand as-tu deux mille dollars à prêter, toi ? Hier encore tu disais que tu manquais d'argent pour acheter une robe à ta nièce ! Ne dis pas de bêtises juste parce que tu te sens coupable !

— Je ne me sens pas coupable de rien du tout. C'est pas parce qu'on courait tout nus dans la maison que c'est arrivé. C'est parce que David est chatouilleux !

Sylvain était très impressionné. Envieux aussi. Il ajouta mentalement quinze pour cent au prix de la réparation, par pure jalousie.

— Et de l'argent, j'en ai. Je l'économise pour mes projets futurs, mais pour les cadeaux à ma nièce, je ne puise pas dans mes économies. C'est des dépenses courantes !

— On paie le loyer ensemble. On joue presque toujours ensemble dans les mêmes engagements. On a les mêmes revenus et les mêmes dépenses, et je n'arrive pas toujours, alors comment tu fais, toi ?

— Tu poses trop de questions. Et puis, est-ce que je te prive de quelque chose ? Et les partitions, et le chocolat, et les fleurs que j'achète pour l'appartement, est-ce que je ne fais pas ma part pour que ça soit agréable chez nous ?

Clothilde devait admettre qu'on ne pouvait trouver meilleure colocataire ou meilleure amie que Juliette. Toujours souriante, aimable, généreuse, discrète. Oui, il lui arrivait de travailler son violoncelle au beau milieu de la nuit, dans sa chambre, mais c'était finalement plutôt agréable. D'ailleurs, elle ne travaillait pas son instrument à ces heures tardives, elle en jouait. Pas de gamme ou de répétition de passages difficiles, juste de la musique. Une berceuse de Bazelaire, *Le Cygne* de Saint-Saëns, une suite de Bach, que des choses douces et calmes, comme pour endormir un enfant. En plus, belle comme elle était, Juliette n'avait qu'à faire un geste pour séduire. Jamais elle n'en profitait. D'ailleurs, Clothilde ne lui avait jamais connu de petit ami. Juliette aimait tout le monde, mais personne en particulier. Et les garçons de son âge, elle disait ne pas les trouver assez sérieux.

Aucun danger pour David, donc.

Clothilde se ravisa.

— Tu as raison. De quoi je me mêle. Je ne veux pas que ta générosité te cause de tort, c'est tout.

— Alors, David, tu acceptes ? Tu vas me rembourser, non ?

— Évidemment, mais ça peut prendre un peu de temps.

Sylvain n'aimait pas se retrouver ainsi dans le rôle du méchant. Surtout devant les filles.

— Écoute, la facture, ce n'est pas pour tout de suite non plus... Et puis tu pourras me faire des versements.

— OK. En attendant, tu n'aurais pas un violon à me prêter ?

Sylvain prit un air très grave. Il regarda à droite et à gauche, comme si des espions pouvaient être dissimulés autour. Il alla verrouiller la porte d'entrée.

— Suivez-moi.

David et les filles le suivirent dans l'arrière-boutique. On aurait dit la grotte secrète d'un dangereux malfaiteur. Malgré ce qu'on disait, il semblait bien qu'on ne traitait pas que les petits bobos à La chanterelle. Des dizaines de violons en attente ou en cours de réparation pendaient du plafond, comme autant de stalactites. Une odeur de vernis, de colle et de résine flottait. Sur les établis, des instruments gisaient, certains ouverts comme des cadavres à l'autopsie. Leurs entrailles tenues écartelées par des serre-joints et encore d'autres instruments de torture, leurs organes éparpillés autour de leur corps. Ici, des archets, la chevelure en bataille ; debout contre le mur, une contrebasse au vernis noirci par les ans, recouverte de poussière, veillait comme un geôlier muet sur ce lugubre laboratoire.

— Par ici !

Sylvain ouvrit une trappe. L'escalier qui menait au sous-sol devait compter une vingtaine de marches.

— Soyez prudents, la descente est longue.

Ils s'y engouffrèrent un à un.

Arrivé le premier, Sylvain fit de la lumière. Les autres suivirent.

C'était un étonnant spectacle. Tout le contraire de ce qu'ils avaient vu à l'étage.

La grande pièce était illuminée par une série de lampes Tiffany qui surplombaient une gigantesque table de billard dont le vert étincelant du tapis faisait un heureux contraste avec l'acajou du meuble lui-même et les lambris de la même essence qui couvraient murs et plafond. On se serait cru dans le club privé de Phileas Fogg.

— Tu ne nous avais jamais montré ça ! C'est un bar clandestin ?

— N'en parlez à personne. C'est mon refuge, quand je suis fatigué de votre bande de guignols. J'ai récupéré le bois dans un presbytère qu'on allait démolir.

— Wow !

— Et la table ?

— Aussi.

— Wow !

Le luthier sortit un trousseau de clés de sa poche et s'approcha d'un des grands panneaux d'acajou qui dissimulait, comme on allait le découvrir, une armoire. Il tourna la clé dans la serrure, ouvrit la porte et prit sur une des tablettes ce qui était vraisemblablement un étui à violon.

Sylvain déposa l'étui sur la table de billard. Il ouvrit la caisse et recula d'un pas pour laisser les autres voir son œuvre.

— Ça, David, c'est mon violon !

C'était en effet son violon. Un instrument auquel il avait travaillé à temps perdu pendant des années. Copié, disait-il, d'un

Guarneri del Gesù qui lui était passé entre les mains alors qu'il était apprenti chez Collin.

L'instrument était joli à regarder. Plutôt ambré, tirant sur le jaune, il semblait délicat. Un vrai italien. Avec ses petites chevilles finement travaillées, les éclisses à la manière baroque, les ouïes en entourloupettes, c'était un violon très féminin.

— Et regarde !

Sylvain offrit le dos de l'instrument aux regards assemblés.

— Tout d'une pièce ! De l'érable tigré !

C'était en effet, du très bel ouvrage

— Et le son ?

— Il n'a jamais été joué !

Sylvain sortit un archet de l'étui, en tendit la baguette et le donna à David.

— C'est toi aussi, l'archet ?

— Tout moi !

David eut l'impression qu'on lui mettait une batte de baseball dans la main. C'était de mauvais augure.

— Costaud, dis donc ! Presbytère aussi ?

Sylvain était vexé. « Les archets, ce n'est pas vraiment ma spécialité », s'encouragea-t-il *in petto*.

David accorda le violon minutieusement. Les cordes à vide résonnèrent dans la salle de billard. Malgré les boiseries et la hauteur du plafond, le son ne semblait pas vouloir aller très loin. Il prit beaucoup de temps pour accorder l'instrument parce que, déjà, il avait le sentiment qu'il allait jouer sur une planche à repasser. Cela dit, il avait besoin d'un violon.

Il joua les premières mesures de la cadence du Mendelssohn qu'il avait justement sous les doigts, vu ses exercices du matin. L'instrument semblait malheureusement dépourvu de graves. Un castrat.

David essaya les aigus avec le début du concerto. Puis un bout des *Saisons* de Vivaldi. Puis des gammes. Puis quelques doubles cordes. C'était atroce. Nasillard. Grippé. Pas de souffle. Un crincrin.

— Est-ce que tu joues avec la sourdine ? demanda Juliette, toujours aussi spontanée.

Clothilde vint à la rescousse.

— Mais non… David joue *piano*, pour ne pas déranger les voisins…

Son intervention n'était toutefois pas nécessaire.

Sylvain avait la tête entre les mains. Il pleurait.

David s'approcha. Lui toucha l'épaule.

— Sylvain ? Sylvain ? Tu sais, je ne suis pas tellement réchauffé…

David et les filles échangèrent des regards d'impuissance.

« Qu'est-ce que je fais ? » articula-t-il en langage de sourd-muet.

Sylvain se redressa enfin. Il semblait secoué.

Il se leva et prit David dans ses bras.

— Merci ! Merci, David. C'est tellement beau ! Tel-le-ment beau !

Et le charpentier se remit à pleurer.

Si l'amour rend aveugle, il semblait aussi pouvoir s'attaquer à l'ouïe.

L'affaire fut tout de même conclue. David n'était pas en position de refuser le violon que Sylvain voulait lui prêter, aussi horrible soit-il. Il avait besoin d'un instrument pour gagner sa vie et payer la réparation. Et s'il avait fallu qu'il refuse le bébé de Sylvain, Dieu sait ce que le luthier aurait pu faire subir à son Clio pendant qu'il était sous sa garde. Mieux valait se taire et accepter la généreuse proposition qu'il lui faisait.

Heureusement, son propre archet avait été épargné, donc David n'aurait pas à utiliser l'instrument aratoire qui accompagnait le violon de Sylvain. À la limite, une queue de billard aurait encore été préférable.

Ils remontèrent à la boutique. Juliette versa une avance sur le prix des travaux. David fit ses adieux à son violon, préleva son archet de l'étui et le transféra dans la caisse du « violon de courtoisie » qu'il emporta.

Une fois dehors, David avait l'air un peu sonné. Clothilde voulut le réconforter.

— T'as peur pour ton violon ?

Le regard dans le vide, il finit par répondre, du bout des lèvres.

— Beaucoup peur...

Puis, David fronça les sourcils. Un couple étrange qui avançait vers eux avait capté son attention. L'homme et la femme semblaient sortir d'un bal costumé, même si l'Halloween n'était encore que dans quelques jours. La dame était emmitouflée dans un épais manteau de fourrure blanche, comme en plein hiver, d'où dépassait ce qui ressemblait à une robe de chambre de satin vert. Elle portait un grand chapeau de plage. Le large ruban bleu qui en faisait le tour flottait dans le vent. Ses pantoufles rouges auraient ajouté à l'incongru de son accoutrement si elles ne s'étaient pas si bien agencées à ses gants de cuir de la même couleur.

L'homme qui l'accompagnait avançait les deux poings en l'air, comme un chirurgien qui entre en salle d'opération ou un boxeur à qui on vient de bander les mains et qui attend qu'on lui enfile ses gants.

Juliette et Clothilde les aperçurent aussi.

Comme le couple allait les croiser, Clothilde les interpella.

— Monsieur Dubreuil ?

Robert reconnut son ancienne élève.

— Clothilde ? C'est vous ?

Il aperçut David.

— David ? C'est bien ça ? Quelle coïncidence ! Alors vous vous connaissez, tous les deux ?

Jasmine se cachait derrière son fils. Elle était intimidée. Mais il était difficile de la manquer, avec son costume de carnaval.

Juliette lui tendit la main.

— Bonjour Madame. Moi, c'est Juliette.

— Bonjour. Je suis la maman de Robert. Est-ce que vous êtes dans sa classe ?

— Non, Madame. Moi, je joue du violoncelle.

— C'est vrai ? Moi, je joue du piano.

— C'est très joli, comment vous êtes habillée. J'aime beaucoup votre chapeau.

Le compliment lui fit grand plaisir.

— Vous êtes gentille. Robert ne veut pas que je le porte.

Robert voulut intervenir.

— C'est un chapeau pour l'été, maman. Je voulais juste... Je ne voulais pas...

— Il a tort. Vous êtes très élégante.

Il n'y avait qu'une Juliette pour aborder la situation avec autant de naturel. Jasmine était presque tout à fait à l'aise.

— Comment vous appelez-vous ?

— Je m'appelle Juliette. Vous êtes la mère de monsieur Dubreuil, c'est ça ?

— Non, mais j'ai un petit garçon qui s'appelle Robert. Il joue du violon. Est-ce que vous êtes musicienne ?

— Oui, je suis violoncelliste.

— Est-ce que vous jouez l'*Arpegionne* ?

— Bien sûr. On pourra le jouer ensemble si vous voulez.

— Et votre nom ?

— Juliette.

— Vous êtes charmante.

— Merci, Madame. Est-ce que je peux essayer votre chapeau ?

— Bien sûr ! Vous voulez les gants aussi ? C'est un ensemble.

Juliette prit le chapeau et le mit sur sa tête. Elle enfila les gants que Jasmine lui présentait.

Clothilde emboîta le pas.

— Vous voulez mon béret ?

— Oh, vous êtes drôle ! D'accord.

Clothilde enleva son petit béret bleu et le posa délicatement sur la tête de Jasmine, ajustant sa coiffure au passage. Jasmine avait tout à coup moins l'air d'une vieille folle.

— Vous êtes magnifique ! déclara Juliette.

Robert Dubreuil avait les larmes aux yeux.

Il aurait préféré ne rencontrer personne en rentrant de l'hôpital, mais le taxi les avait déposés au bout de la rue à sens unique, à quelques pas de la maison de Jasmine. Maintenant, il redoutait ce que David allait encore penser de lui. Après ses maladresses de la veille, voilà qu'il se présentait de nouveau au jeune homme dans toute sa bizarrerie.

David lut le désarroi dans les yeux du violoniste.

— Qu'est-ce qui est arrivé à vos mains ?

— Un accident stupide. Nous arrivons justement de l'hôpital…

— C'est grave ?

— J'en ai pour quelques mois. Celle-là, c'est cassé ; dans celle-là, il y a un tendon qui est atteint. On va devoir opérer, m'a-t-on dit.

— Et le violon ? L'orchestre ?

Robert resta silencieux.

Il regarda les jeunes filles qui papotaient avec sa mère. Il connaissait bien Clothilde, mais il lui semblait aussi avoir déjà aperçu l'autre jeune femme quelque part.

— Votre amie est musicienne aussi ?

David fit les présentations.

— Excusez-moi. Juliette, tu connais Monsieur Dubreuil ?

— Bonjour. Juliette Moisan.

— On se connaît, non ?

— Je ne crois pas… Mais ça me fait plaisir de vous rencontrer. Oh, vous êtes blessé ?

— Oui, oui, je vous ai déjà rencontrée, j'en suis sûr !

— Désolée… Vous me confondez sans doute avec quelqu'un d'autre.

Robert insistait. On aurait dit qu'il allait se fâcher.

— Mais non, je le saurais… J'ai une excellente mémoire. Je peux jouer toutes les sonates de Beethoven par cœur, alors…

Clothilde et David se regardaient. Ils ne comprenaient pas cet acharnement. Jasmine n'avait pas l'air très à l'aise non plus. Elle ne savait pas trop qui étaient ces gens qui discutaient autour d'elle. Juliette, elle, ne semblait pas du tout décontenancée.

— Ah oui ? C'est formidable ! Comment vous vous y êtes pris pour retenir tout ça ? Même la *Kreutzer* ?

Robert éclata d'un grand rire.

— Même la *Kreutzer* ! Je l'ai tant jouée ! Le secret, c'est qu'il faut l'oublier trois fois. Moins que ça, ça ne colle pas pour de bon.

— Moi, je travaille en rythmes décomposés. Comme ça, ce n'est pas l'oreille qui se souvient, ce sont les doigts.

— Vous jouez du violon ?

— Non, du violoncelle.

— Et on ne se connaît pas, vous en êtes certaine ?

— Maintenant, on se connaît un peu, non ?

Robert restait convaincu qu'il avait déjà rencontré cette jeune femme, mais, malgré sa mémoire qu'il disait prodigieuse, il n'aurait su dire ni quand ni où. Étaient-ce les premiers signes de la maladie ? Allait-il, comme sa mère, commencer à perdre contact avec la réalité ? D'ailleurs, était-il vraiment au milieu de la rue avec elle en pantoufles et avec ces jeunes musiciens, dont cette fille affublée d'un chapeau de plage ? Et ce sentiment d'impuissance et de désarroi qu'il ressentait en ce moment se manifestait-il dans ce rêve par ces pansements qui lui paralysaient les mains ?

La voix de Clothilde le sortit de sa torpeur.

— Vous avez l'air un peu handicapé. Est-ce qu'on peut vous aider ?

Robert était terriblement mal à l'aise. Pris en flagrant délit d'étrangeté, une fois de plus. Il aurait voulu fuir.

Mais l'offre de secours tombait à point.

Il devait récupérer ses affaires chez lui. Acheter de quoi manger. Tout en ayant un œil sur Jasmine. Il devait aussi aviser l'orchestre de ce qui lui arrivait…

Il accepta que le trio les accompagne chez sa mère, qui habitait heureusement tout près.

David les suivit, à contrecœur. Ils étaient peut-être bien gentils, Robert Dubreuil et son étrange maman, mais il avait ses propres problèmes à régler. Il ne cherchait surtout pas de distractions supplémentaires pour le moment. Il était plutôt impatient de se mettre en quête d'engagements qui lui permettraient de se sortir d'affaire. Que Sylvain lui propose de payer en plusieurs versements ou que Juliette lui avance la somme, il devrait tout de même payer pour la réparation, en plus d'honorer ses obligations habituelles. Le loyer, le manger, les déplacements, le remboursement de son prêt étudiant… déjà qu'il bouclait les fins de mois de peine et de misère.

Mathématiquement, il ne pourrait arriver que s'il travaillait beaucoup plus. S'il n'y parvenait pas, il devrait demander de l'aide à son père, ou pire, retourner vivre chez ses parents. L'échec total.

Quelques minutes après leur arrivée dans l'appartement de Jasmine, Robert comme David furent étonnés de voir combien les femmes semblaient bien s'entendre.

Sans que Robert leur explique quoi que ce soit, les filles s'étaient mises naturellement au diapason de Jasmine, la suivant dans ses jeux et ses découvertes comme on aurait suivi une enfant de quatre ans.

Juliette trouva dans la cuisine de quoi préparer un goûter pour tout le monde. Jasmine avait entraîné Clothilde dans la petite chambre pour dénicher des partitions, et les voilà qui réapparaissaient déjà au salon, hilares, les bras pleins de cahiers.

— Regardez tout ce qu'on a trouvé ! David, tu me prêtes ton nouveau violon ?

— La caisse est là. Sers-toi.

Robert en profita pour emmener David à l'écart afin de lui parler.

— Est-ce que ça s'est bien passé à La tomate, hier ?

David se sentait déjà coincé.

— Oh oui, très bien. Merci encore pour le *lift*.

— Parce que… Je m'en voulais après… Dans la voiture, je…

David craignait d'entendre la suite.

Robert continuait à patauger.

— Je ne suis pas très doué pour la conversation… Mais je voulais te dire…

David voulut mettre fin à son supplice.

— Il n'y a pas de problème, vraiment… Je vous jure…

— Non mais, je ne veux pas que tu croies…

David ne savait trop où Dubreuil voulait en venir, mais si c'était sa façon de flirter, ça ne devait pas marcher souvent.

Robert voulait lui dire qu'il espérait que David ne se soit pas mépris sur ses intentions. Qu'il aimait les filles, lui aussi, qu'il était impressionné d'ailleurs de le voir accompagné de si jolies et gentilles jeunes femmes, dont Clothilde sur laquelle il avait beaucoup fantasmé alors qu'il lui enseignait, et cette exquise et surprenante Juliette, dont il venait de faire la connaissance, mais qu'il était persuadé avoir déjà rencontrée. Il était reconnaissant qu'ils soient tous montés à l'appartement parce qu'il se sentait bien désemparé avec ses mains blessées et sa mère malade, dont il ne savait trop comment il arriverait à prendre soin.

Si Robert avait dit tout cela plutôt que juste le penser en regardant le jeune homme dans les yeux, David aurait mieux compris pourquoi Dubreuil le serrait maintenant dans ses bras.

Parce qu'il était bien élevé, David ne voulut pas se défaire de l'emprise trop soudainement pour ne pas créer d'incident. Mais il souhaitait que cela cesse dans les meilleurs délais.

Au même moment, heureusement, Clothilde et Jasmine commençaient à jouer ce qui ressemblait à une sonate de Haendel.

Le son nasillard de l'instrument fit sursauter Robert, libérant David par la même occasion.

— C'est épouvantable ! C'est ton violon, ça ?

# CHAPITRE 7

Barbara Greenberg déambulait dans le salon de sa résidence, qui lui servait également de siège social. Ses deux grands enfants poursuivant leurs études à l'étranger, elle et son entreprise avaient littéralement pris possession de la maison depuis leur départ. Son mari Sydney ne s'était pas formalisé de cette invasion, y voyant plutôt là un bon moyen de garder son épouse occupée de façon constructive alors que ses propres activités le retenaient souvent de longues heures à son bureau ou en voyage avec sa maîtresse. C'était mieux que de savoir sa femme au gym ou à des cours de tennis toute la journée avec de jeunes instructeurs athlétiques. Plusieurs de ses collègues et amis avaient perdu leur épouse, leur maison et leur fortune dans de semblables circonstances. Avec la faune de musiciens paumés et autres amuseurs sans grand talent que sa femme fréquentait, il ne craignait rien.

— Je les ai devant moi. Je les ai rencontrés la semaine dernière… Oui, des professionnels… Le violoniste a étudié avec Pinchas Zukerman…

Barbara fit un clin d'œil à David.

— Oui, demain, sans faute… On peut se rencontrer sur place… Non, envoie-moi un *mail*…

Elle roulait des yeux à l'intention de ses visiteurs, tout en pinçant son pouce sur ses doigts dans le geste du bec de canard qui fait blabla. Tout cela pour indiquer qu'elle était aux prises avec une interlocutrice particulièrement loquace.

Annie et David avaient déjà compris. Calés très profondément dans les canapés de cuir blanc du salon de madame Greenberg, les deux jeunes musiciens attendaient la fin de sa conversation.

C'était la deuxième fois que Barbara interrompait leur entretien pour prendre un appel depuis qu'ils étaient arrivés. La première fois, ils ne s'étaient pas aperçus qu'elle parlait à quelqu'un d'autre avec son oreillette dissimulée dans sa chevelure. Annie avait discouru dans le vide pendant quelques secondes jusqu'à ce que madame Greenberg lui fasse signe qu'elle était au téléphone.

On se sentait tout de suite très important.

Pour se distraire, David prit une brochure publicitaire sur la table basse. Le feuillet décrivait les services offerts par l'entreprise de Barbara. Mariages, bar-mitsvah, funérailles, réceptions et autres événements. Selon la circonstance, on pouvait fournir un clown, des jongleurs, un magicien, des musiciens, un band, des D.J. et même un service de traiteur. Les prix étaient compétitifs et la satisfaction garantie, affirmait-on encore.

Le magicien devait être très recherché pour les enterrements, pensa-t-il.

David ne tenait pas à être présent, mais madame Greenberg avait insisté pour qu'il accompagne Annie à cette rencontre.

Les deux musiciens ne s'étaient pas revus depuis le matin où Marianne et Annie avaient surpris David les culottes à terre en venant emprunter un lutrin à Clothilde. L'incident du violon avait abruptement mis fin aux engueulades, mais Annie était encore fâchée, sans qu'on sache trop pourquoi, quand elle était repartie.

David espérait qu'elle lui ferait encore confiance, car il avait terriblement besoin d'engagements payants.

— Bon. C'est réglé. Vous avez un mariage samedi.

Barbara avait fini son appel et s'adressait de nouveau à ses visiteurs.

Annie avait déjà expliqué à madame Greenberg que son quatuor était habitué à jouer dans les mariages et qu'elle n'avait donc pas à s'inquiéter.

On régla rapidement la question du répertoire. Les mariés avaient choisi toutes les pièces qui devaient être jouées pendant la cérémonie et même pendant la réception. Annie trouvait qu'il y en avait beaucoup, mais elle avait déjà la plupart des partitions en main, si bien qu'il ne lui restait qu'à noter le lieu et l'heure.

: :

Le samedi suivant, David, Clothilde, Juliette et Annie arrivèrent à l'heure prévue à la synagogue, où ils furent accueillis par la sœur de la mariée qui, tel un général sur un champ de bataille, dirigeait les opérations.

Annie ne mentait pas lorsqu'elle avait vanté son expérience des cérémonies de mariage, mais elle avait omis de mentionner qu'il s'agissait de mariages catholiques. Le déroulement en était toujours le même.

Ce qui les attendait ici était fort différent.

Et ce fut un fiasco.

Les musiciens furent tout d'abord étonnés d'apprendre qu'ils devaient changer de partition chaque fois qu'un nouveau membre de la famille faisait son entrée dans la synagogue. C'est en tous cas ce que la sœur de la mariée vint leur dire sans ménagement quand elle s'aperçut qu'il y avait un bouchon important devant les portes, alors que chacun attendait la pièce qui devait accompagner son apparition.

Dès qu'elle constata que David ne portait pas de kippa, elle courut en chercher une à l'entrée et vint la lui écraser sur la tête alors qu'il cherchait la partition de *Memory*, extrait de la comédie musicale *Cats*, qui devait annoncer l'arrivée d'un des oncles du marié.

L'engorgement était tel que la grand-mère de la mariée, dont l'entrée ne devait se faire qu'en tout dernier, commença à manquer d'air, coupa la file pour se faufiler dans la salle et chamboula ainsi l'ordre des pièces choisies avec minutie par les mariés, pour honorer chaque membre de la famille.

La sœur-générale vint à la rescousse pour tenter de refouler la grand-mère d'où elle venait, mais sans succès. Elle se précipita donc auprès des musiciens pour leur dicter à mesure ce qu'ils devaient jouer selon la tête de celui ou celle qui franchissait la porte.

Et la cérémonie proprement dite n'était même pas encore commencée.

La tension montait aussi entre les musiciens, chacun reprochant à l'autre un nouveau faux pas ou une entrée ratée. La rancœur était encore palpable et malheureusement audible alors que le cantor cantait, sous la *huppah*, ce qui le distrayait dans l'interprétation de son cant.

On finit tout de même par écraser le verre sous le mouchoir, et les mariés furent du coup unis pour la vie. Également solidaires étaient les parents et amis présents, dans le sentiment que leur avaient laissé ces pathétiques musiciens qui avaient failli tout gâcher par l'ignorance de leurs rites religieux.

La réception se passa dans la même bonne humeur, et on ne servit même pas à manger aux musiciens, qui n'avaient pas vraiment faim de toute façon.

Ce long préambule pour expliquer pourquoi David se présentait de nouveau au domicile de madame Greenberg quelques jours plus tard, un bouquet de fleurs à la main.

Au lendemain de la catastrophe du mariage, Barbara avait longuement sermonné Annie au téléphone, lui reprochant son manque de professionnalisme. Annie était elle-même très en colère contre madame Greenberg de ne l'avoir pas informée du protocole, ce qui l'avait plongée, avec ses musiciens, dans un grand embarras. Le ton n'était pas à la conciliation.

Les services que proposait l'entreprise de Barbara Greenberg étaient garantis, et dans les circonstances, elle n'acceptait de payer que la moitié du cachet qui avait été convenu, si Annie espérait encore obtenir du travail grâce à elle. C'était à prendre ou à laisser.

Il fut convenu qu'elles se rencontreraient quelques jours plus tard afin de conclure l'affaire, d'une façon ou d'une autre.

Mais le moment venu, Annie bouillait encore.

— Pour qui elle se prend ! C'est sa faute si on a eu l'air fou, et là il faudrait que j'accepte de réduire notre cachet ? Je n'en ai pas besoin de ses *gigs* de clown !

David, lui, n'avait pas les moyens d'une telle indépendance et il tenta d'amadouer sa collègue.

— Ce n'était pas si pire que ça, non ? Et puis on saura comment ça fonctionne. J'ai même ma kippa à moi maintenant, alors je suis toujours prêt !

— D'ailleurs, qu'est-ce qu'elle te trouve de si particulier, à toi, pour exiger que tu remplaces Marianne et que tu sois présent à notre rencontre ? Heureusement qu'elle est compréhensive, ma blonde, mais je n'aurais jamais dû accepter les conditions de cette bonne femme. Ça me dérange quand on met le nez dans mes affaires. Ça m'a toute mêlée.

— C'est ma faute si on s'est cassé la figure, c'est ça ?

— Ce n'est pas ce que j'ai dit.

— Écoute, je vais y aller la voir, moi. Je vais prendre le chèque pour la moitié de notre cachet, et vous vous séparerez l'argent en trois. Je ne veux pas perdre la possibilité d'autres engagements avec elle.

David connaissait assez bien Annie pour savoir que, aussi douée soit-elle pour les affaires, son sale caractère risquait de prendre le dessus si on la mettait au pied du mur. Et surtout si c'est une femme qui la provoquait.

Il se porta donc volontaire pour la délicate mission, armé de fleurs et d'une idée derrière la tête.

::

Les violonistes ne sont habituellement pas très habiles avec le sexe opposé. Dans l'orchestre, c'est plutôt dans la section des violoncelles que l'on retrouve les séducteurs et les grands ténébreux qui charment les filles. Les cuivres peuvent arriver à se débrouiller pas mal aussi, mais ils ne font pas dans la subtilité. Ce sont les cols bleus de l'orchestre. Parfois issus des fanfares de collège ou de l'armée, ils préfèrent la compagnie de leurs semblables avec lesquels ils aiment faire beaucoup de bruit. Assis juste devant les percussions, les débardeurs de l'orchestre, ils y sont très heureux. Les violoncelles, eux, sont plus posés. Ils travaillent leur instrument dans la position assise et ne font pas de gestes inutiles, contrairement aux violonistes qui, debout, trépignent et piaillent. Peu de gens le savent, mais on ne réussit à faire asseoir les violons à l'orchestre qu'en les attachant à leur chaise. D'ailleurs, dès qu'une pause est décrétée, ils se lèvent et font des gammes dans le suraigu. S'ils étaient des oiseaux, ils seraient des colibris. Les violoncelles seraient peut-être des aigles, mais ce ne sont pas des oiseaux. Ce sont des lions. Ils évoluent dans les registres virils de la gamme avec la confiance tranquille que leur procure ce gros instrument qu'ils ont entre leurs jambes. Assez grivois pour bien s'entendre avec les cuivres et les percussions, assez subtils pour fréquenter les bois et les violons, ils sont soutenus dans leurs desseins par les altos et les contrebasses, leurs alliés naturels. Quant aux antilopes égarées que sont les bois, elles sont toujours aux aguets et vivent dans une terreur constante. Contrairement aux violons qui bénéficient de la protection du troupeau, les flûtes, hautbois et autres clarinettes sont en bien trop petit nombre pour espérer un tel anonymat. Ils sont facilement piégés et ils le savent.

Ils traversent la partition à découvert, sachant que le moindre « couac » trahira leur présence, les rendant ainsi vulnérables aux attaques du chef d'orchestre, ou des violoncelles.

David faisait cependant exception à la règle parmi les disciples de son instrument.

Peut-être pas un lion, mais il n'était pas un de ces petits moineaux criards pour autant. Plutôt un bon chien. Docile sans être soumis, enjoué sans avoir à sauter partout pour démontrer son enthousiasme, il montrait aussi de belles dispositions pour la chasse au petit gibier.

Contrairement à Robert Dubreuil qu'on avait immergé dans la musique encore tout petit, David y était venu plus tranquillement et par d'autres chemins.

Il avait toujours aimé chanter et ses enseignants avaient remarqué son intérêt pour la musique alors qu'il était encore à la petite école, mais les parents de David tenaient à ce que leur fils soit exposé à toutes sortes d'activités afin qu'il puisse faire ses propres choix plus tard.

C'est ainsi que, avant ses dix ans, David avait déjà suivi des cours de guitare, de dessin, de tennis et de théâtre. Il avait joué au soccer dans l'équipe de son école l'été, au hockey l'hiver et chanté dans la chorale. Les leçons de natation avaient aussi fait partie de son éducation, de même que les colonies de vacances en forêt, où il avait notamment appris à pagayer, à reconnaître les pistes de certains animaux et à faire du feu avec même pas d'allumettes.

C'est cependant à l'occasion d'une visite de son grand-oncle Rodrigue que David découvrit le violon. À la retraite depuis quelques années, Rodrigue s'était établi au Mexique, dans la petite ville de San Miguel de Allende. On trouvait là une petite communauté d'Américains retraités aussi, attirés par le coût de la vie abordable, la quiétude et le charme européen de cette ancienne ville coloniale. Rodrigue s'y était trouvé des amis, dont quelques musiciens amateurs, comme lui, avec lesquels il lui arrivait de faire de la musique de chambre. Rien de compliqué. Les plus faciles des quatuors de Haydn, de petites sonates de Corelli, un peu de Bach… Les musiciens comme leur auditoire étant tous un peu dur d'oreille, à l'âge qu'ils avaient, donc il s'agissait davantage d'occasions de socialiser que de véritables concerts. Autrement, il arrondissait ses fins de mois en donnant des leçons de français, d'italien ou d'espagnol aux veuves esseulées en quête d'affection et de culture.

Ses activités comme fonctionnaire aux affaires internationales l'avaient toujours amené à voyager ou à demeurer en poste à l'étranger pendant de longues périodes; aussi ses visites dans la famille de David étaient-elles rares. Cette année-là, exceptionnellement, l'oncle Rodrigue était revenu au pays pour y passer les fêtes.

À cette occasion, il avait voulu faire plaisir à son petit neveu David en l'emmenant à une représentation du ballet *Casse-Noisette*. À dix ans et quelques mois, David était déjà un petit peu trop jeune homme pour s'émerveiller de la féerie de cette fable et des prouesses des danseurs en collant, mais, d'où il était assis, il avait une vue directe sur la fosse où l'orchestre jouait la partition de Tchaïkovski et il était fasciné par ce qu'il voyait. Il passa tout le spectacle à espionner le travail des musiciens, les violonistes en particulier, armé des jumelles de théâtre que l'oncle Rodrigue avait pris soin d'apporter.

De retour à la maison, il ne cessait de raconter comment les violonistes jouaient tous ensemble, avec leur archet dans la même direction. Il avait compris qu'il y avait deux sections, les premiers et les seconds, que parfois le premier assis en avant avait joué tout seul, super aigu… À l'entendre, on aurait dit qu'il venait de découvrir un nouveau sport d'équipe dont il espérait bientôt connaître toutes les règles. Le fait que ce sport se pratiquait dans un trou noir lui semblait absolument irrésistible.

— Ils sont protégés contre les attaques!

— Ils ont juste une petite lumière sur leur lutrin !

— C'est le chef qui décide quand ils jouent !

— Ils sont assis deux par deux et c'est toujours le même qui tourne les pages !

— Ils ont un costume comme celui de James Bond !

Quand l'oncle Rodrigue alla quérir son violon — le Clio de Jules Leclais, qui ne le quittait jamais — pour le montrer à David, ce fut le coup de foudre.

Rodrigue n'avait jamais été un virtuose, loin de là, mais il avait été un élève studieux dans sa jeunesse. Il jouait encore avec un certain aplomb et savait rester à l'intérieur des limites de ses modestes moyens techniques. Il s'en tenait à des pièces très simples, qu'il interprétait avec beaucoup de musicalité. Alors c'était beau. Quoique pas toujours très juste.

Captivé par la musique qu'il entendait, David voulut vite essayer lui aussi. L'instrument était encore trop grand pour ses petits bras, mais, sous la supervision de son oncle, il réussit à en tirer quelques sons tout à fait respectables.

— On tient le violon comme ça, entre le menton et l'épaule. Et la main gauche comme ça. Il faut que tu te sortes le coude.

Le gamin écoutait les instructions religieusement et exécutait du mieux qu'il le pouvait les contorsions requises.

— Comme ça ? Et l'archet ?

— L'archet, tu le tiens comme ça. Le pouce ici, le majeur vis-à-vis du pouce…

— Comme ça ?

— Oui, et tu frottes l'archet sur les cordes ici, toujours entre la touche et le chevalet, en parallèle… Il faut qu'il suive la ligne, comme ça, entre les deux…

C'était assez attendrissant de voir le sérieux avec lequel le garçon s'appliquait à produire des sons. Quand ce fut le moment de passer à table, on dut lui promettre qu'il pourrait bientôt suivre des leçons pour qu'il consente à rendre l'instrument à son oncle.

— Moi, quand je serai grand, je serai violoniste dans un orchestre, déclara-t-il.

Ce qui fit bien rigoler tout le monde.

Il montra un beau talent pour l'instrument dès ses premières leçons. Parce qu'il était naturellement coordonné et souple, la gymnastique du violon lui vint facilement. Il n'avait pas une oreille parfaite, mais un beau sens musical qui l'amenait cependant à se dandiner lorsqu'il jouait, comme s'il voulait danser. Un horrible défaut dont on parvint éventuellement à le débarrasser. Une excellente chose, d'ailleurs, car rien n'est plus pénible que de voir un violoniste faire de l'expression corporelle en jouant. Il existe malheureusement un public pour ce genre de cabotinage qui voit là le signe d'une grande sensibilité, alors qu'il s'agit plutôt d'une honteuse manœuvre de diversion pour camoufler le fait que la partition n'est pas aussi difficile que ce que le violoniste aimerait nous faire croire. Ou pire, un signe que l'instrumentiste ne maîtrise pas suffisamment son instrument pour y faire passer la musique de telle sorte qu'il doit recourir à la pantomime comme tentative de traduction simultanée de la partition. Dans les deux cas, une plaie sans nom.

Ses parents n'eurent jamais à le pousser pour qu'il travaille son violon tout en poursuivant ses études. Il était sérieux et discipliné, mais sans excès. Il n'eut jamais à subir les railleries des autres garçons, comme il arrive parfois à ceux qui s'intéressent à des activités plus artistiques pendant leur jeunesse. Le fait que David eut auparavant appris à se mesurer physiquement sur les terrains de soccer et les patinoires de hockey lui donnait une confiance qui le rendait moins vulnérable aux attaques des petits crétins des cours d'école.

David fit des progrès remarquables au cours des quelques années qui suivirent. Des petites pièces enfantines, il était vite passé aux choses plus substantielles. Il n'avait peut-être pas le talent exceptionnel qui ferait de lui un grand interprète, mais son approche presque athlétique des défis techniques qui se présentaient lui faisait franchir des pas de géant. Tout d'abord, il adorait faire des gammes. Ensuite, il suivait à la lettre les instructions de son professeur. Même s'il avait été dépourvu de talent, la réunion de ces deux seuls facteurs aurait pu faire de lui un violoniste tout à fait respectable.

Et parce qu'il était par ailleurs un jeune homme charmant, les planètes avaient souvent tendance à s'aligner devant lui pour lui éviter trop d'ennuis.

Devient-on charmant parce que la vie nous sourit ou le destin nous avantage-t-il lorsqu'il nous surprend en flagrant délit d'harmonie avec le monde ? C'est exactement le genre de question que David ne se posait pas.

Pas particulièrement cérébral, David était toutefois guidé par un bel instinct qu'il avait la plupart du temps l'intelligence d'écouter. Bien que pas toujours.

C'est par instinct, justement, qu'il avait acheté des fleurs en se rendant chez Barbara Greenberg ce matin-là. Il descendait du métro. Il y avait un marchand de fleurs. Il allait chez une dame de laquelle il espérait un pardon et du travail. Il avait acheté un bouquet. Il y avait des roses, mais il avait opté pour un arrangement plus printanier, jovial et innocent. En vérité, il n'avait opté pour rien, il n'avait tout simplement pas les sous pour les roses.

David avait toujours connu du succès auprès des filles, depuis qu'il avait commencé à s'y intéresser. Pas nécessairement avec celles qu'il convoitait, mais il ne se plaignait pas du résultat.

C'est dans ce qu'on appelle les camps musicaux qu'il avait tout d'abord exploré le monde mystérieux de la féminité. Pendant trois étés, entre ses treizième et seizième années, il fut envoyé par ses parents à un de ces camps, situé autour d'un joli lac dans une réserve faunique à une centaine de kilomètres de la ville. Il y suivait des cours de violon, mais aussi d'orchestre et de musique de chambre.

Les colonies de vacances traditionnelles ont habituellement la sagesse de séparer les garçons des filles afin que, de part et d'autre, on se concentre sur les activités physiques essentielles à la survie dans la nature sans la distraction que suscite la présence du sexe opposé.

Les camps musicaux adoptent une tout autre philosophie de la survie en forêt, privilégiant avant tout la perpétuation de l'espèce. Sauf pour le dodo, où les garçons y sont séparés des filles, les jeunes passent leurs journées ensemble, aux répétitions de l'orchestre, à la chorale, au réfectoire, à la baignade et aux spectacles qui souvent animent les soirées. Un élément crucial dans l'application de la philosophie consiste en la présence de petites huttes aménagées dans les bois environnants où, en principe, les jeunes musiciens peuvent travailler leur instrument sans être dérangés.

Cela crée un décor musical étonnant. En se promenant dans les sentiers, on peut entendre l'étrange trame sonore créée par ces instruments variés qui, chacun de leur côté, vocalisent un bout de partition, une musique hétéroclite à laquelle s'intègre aussi le chant des oiseaux.

Mais ces huttes servent aussi de refuge idéal aux premières découvertes charnelles.

Isolées, en pleine nature, baignées de cette musique primitive qui, dans sa désorganisation apparente, fait écho au bouillonnement des hormones et à la confusion des sentiments naissants, ces cabanes sont la scène de rencontres entre adolescents et adolescentes. Dans la chaleur de l'été, ils se fabriquent là des souvenirs qu'ils n'oublieront jamais.

David gardait en effet d'excellents souvenirs de ces endroits. C'est d'ailleurs là qu'il avait connu Clothilde, et plusieurs autres.

La maison de Barbara Greenberg n'avait rien d'une cabane dans la forêt, mais le cœur de David se mit pourtant à palpiter en sonnant à sa porte ce matin-là.

Il savait qu'elle l'avait remarqué, le soir de sa prestation à La tomate. C'est lui qu'elle regardait alors qu'elle s'était assise à la table devant eux. C'est à lui qu'elle s'était tout d'abord adressée, avant l'intervention d'Annie et ses propres réflexions idiotes à propos des variations dites Greenberg.

Puis, il y avait eu ce clin d'œil que Barbara lui avait lancé, alors qu'elle parlait au téléphone avec une cliente. Elle avait menti à son interlocutrice et avait rendu David complice de son petit crime par ce geste familier qui lui était destiné.

Cela dit, David n'avait pas de plan précis. Il était là parce qu'il avait besoin de travail. Son cœur battait parce qu'il avait besoin de travail. Il avait des fleurs à la main parce qu'il avait besoin de travail. Il avait besoin de travail.

C'est monsieur Greenberg qui vint ouvrir.

David n'avait pas prévu cette possibilité et combien il se sentirait idiot avec son bouquet de fleurs dans ces circonstances.

Sydney Greenberg ne sembla pas s'en formaliser. C'était un beau monsieur, élancé. Sportif, de toute évidence. Il avait le visage d'un homme de quarante ans dans lequel on avait savamment tracé de belles rides viriles et à qui on avait blanchi les cheveux juste assez pour le faire passer pour un homme de soixante ans, mais on n'y croyait qu'à moitié. Il était fort élégant dans son pantalon de velours marine, dont on avait pressé le pli au rayon laser, et sa chemise blanche au col ouvert et aux poignets empesés, sertis de jolis boutons de manchette.

— Madame Greenberg ?

Monsieur Greenberg remit son portable à son oreille tout en invitant David à entrer d'un signe de la main.

— *Yes, of course... no, someone for Barb..., I told Ernie not to do that yesterday... It's just plain wrong...*

Sydney referma la porte derrière David et franchit les premières marches de l'escalier qui menait à l'étage. Il se retourna une seconde vers David pour lui indiquer de s'installer au salon, d'un geste, encore.

— *Fuck that...*, furent les dernières paroles que David entendit avant que monsieur Greenberg disparaisse dans une autre pièce, en haut de l'escalier.

David ne savait trop s'il devait s'asseoir ou attendre debout.

Embêté par son bouquet, il le déposa sur le bureau de madame Greenberg.

La pièce était tapissée de photos de famille que David entreprit d'examiner une à une, les mains croisées derrière son dos. Il pensait que c'était une attitude appropriée au cas où Barbara surgirait sans prévenir ou si le mari le surveillait à distance par l'entremise d'une caméra cachée.

Ils avaient deux enfants. Un garçon et une fille. Le garçon ressemblait beaucoup à monsieur Greenberg. Il s'attarda longuement sur une photo prise à la plage alors que les enfants étaient encore tout petits. Tout sourire, monsieur Greenberg déployait ses muscles, à la Tarzan, tandis que Barbara, magnifique en bikini, jouait la Jane en émoi.

— J'étais pas mal, n'est-ce pas ?

David sursauta. Encore. Il en avait marre de se faire surprendre comme ça à tout bout de champ. C'était décidé, il allait bientôt se faire installer un détecteur de mouvements ou des rétroviseurs.

Barbara était à deux pas de lui. Elle avait dû arriver par la cuisine, ou montait du sous-sol, allez savoir.

David eut un bon réflexe dans les circonstances, il continua d'admirer la photo.

— Oui, vraiment. C'est récent ?

— Flatteur.

Elle examina la photo avec lui.

— Boca Raton. Paul devait avoir quatre ou cinq ans ; Rachel, trois ? Alors ça fait quelque chose comme quinze ans. Peut-être plus.

Barbara aperçut le bouquet que David avait déposé sur son bureau.

— C'est toi, les fleurs ?

— Oui, c'est moi... Pour vous.

— Et vous croyez que je vais vous pardonner pour le mariage Wexler parce que tu m'apportes ce petit bouquet que tu as probablement acheté dans le métro ?

Dans ces moments, un instinct bien nourri peut faire la différence. David avait correctement réagi en ne se réfugiant pas sous le canapé quand Barbara l'avait surpris en train d'admirer la photo la montrant en bikini. Ce n'était pas le moment de faiblir. Son chef d'orchestre intérieur eut la bonne idée de se tourner du côté des violoncelles. Qui répondirent d'une voix souriante.

— C'est le but de l'opération, en effet.

Madame Greenberg s'approcha tout près, tout près.

— C'est tout ? Tu ne voulais pas me faire plaisir un peu, aussi ?

Le chef d'orchestre se grattait la tête avec sa baguette. Les violoncelles le regardaient en se demandant ce qu'il allait faire. Il donna plutôt le signal au piccolo. C'est en tout cas le son que David produisit en tentant de répondre.

— *Tuiiiit !*

Il faut dire que Barbara était non seulement très près de David, mais qu'elle avait aussi pris soin de poser une main assurée sur le devant du pantalon du jeune homme.

Le pantalon répondit positivement à la place de David, qui ne trouvait pas ses mots.

— Et tu voudrais le cachet au complet ?

Le pantalon fit signe que oui, mais David pensait plutôt à monsieur Greenberg, à l'étage, et combien il avait l'air en forme.

Justement, le voilà qui descendait l'escalier.

— *I'm telling you, Tom... No, I'll have my secretary prepare something...*

Barbara recula à peine, sans lâcher prise.

— *Bye, honey!*

— *Yes, I'm going there right now... just a second... Bye babe!...*

Et David entendit la porte de l'entrée se refermer derrière monsieur Greenberg.

Barbara semblait beaucoup s'amuser de la tête que faisait David.

Lui dut chercher le réconfort d'un siège pour retrouver son souffle.

— Je t'ai fait peur, hein?

— Oui, un peu, tout de même.

— Faut pas s'en faire. Tu es très mignon et tu me plais bien, mais on est ici pour parler *business.*

Momentanément soulagé, David retrouva un peu d'assurance.

— Pour le cachet, la moitié fera l'affaire, mais j'espère vraiment qu'on pourra avoir d'autres engagements.

— C'est toi qui dis ça ou c'est Annie?

— C'est les deux. On s'excuse pour le mariage, mais on a été pris de court...

— Oui, Annie me l'a très bien fait comprendre au téléphone. Elle a du caractère, la petite.

— Avouez que ç'aurait été bien d'avoir un peu d'information...

— Tu ne vas pas commencer toi aussi?

— Non, non... On est désolés, je vous l'ai dit. Mais j'ai vraiment besoin de travail. Mon violon est en réparation, j'ai besoin d'engagements, et d'argent. J'ai même dit aux filles de se séparer le cachet du mariage. Je me repaierai avec les autres *gigs*, si vous avez quelque chose pour nous, ou pour moi tout seul...

— Tu leur as dit ça? Tu es *desperate* à ce point-là? Tu es disponible pour jouer tout seul aussi? Pour n'importe quoi, n'importe quand? Vous autres, les musiciens classiques, vous faites toujours la fine gueule...

— Pas moi. Je vais prendre ce que vous me donnerez.

— *Good answer.*

Barbara s'installa à son bureau et sortit son chéquier.

— Voilà, je te fais le chèque pour la moitié du cachet, comme entendu. Et puis je te fais un autre chèque pour ta part. C'est pour toi, mais tu ne dis rien aux filles, compris ? Je ne veux pas qu'elles pensent — surtout Annie — que je suis une *softie*. Et si elles croient que tu t'es sacrifié pour elles, tant mieux, c'est des *brownie points* pour toi. On se comprend ?

— Compris.

— D'ailleurs, penses-tu que j'ai accepté que la bonne femme Wexler me paie juste la moitié de mes honoraires ? J'ai promis des musiciens, elle a eu des musiciens. Elle avait juste à payer pour des répétitions si elle voulait le mariage de Kate et William.

Barbara vit que David semblait surpris de ces confidences.

— Ne fais pas cette tête de bébé. Pour Annie et les filles, c'est le prix d'une bonne leçon. Et je te promets d'autres *gigs*, OK ?

Elle consulta son agenda.

— Tu es libre demain après-midi ?

— Oui, je pense bien…

— Non, tu ne penses pas. Tu es libre ou tu n'es pas libre ?

— Je suis libre.

— Parfait, on enterre un monsieur Falardeau et ça me prend un duo à cordes à quinze heures à l'église Sainte-Famille. N'importe quelles cordes, mais vous devez être deux. Ça ira ? C'est catholique, *no worries*.

David fit signe que oui.

Elle consulta son ordinateur.

— Ah oui ! Tu as quelque chose de prévu pour l'Halloween ?

— Euh, je ne crois… je veux dire… Non. Rien de prévu.

Barbara se leva et s'avança vers lui.

— Lève-toi.

David se leva.

— Tourne.

Il se retourna.

— Tu fais quarante d'épaules ? Trente de taille à peu près ?

— Trente-huit, pour les épaules, je pense.

Elle lui donna une petite tape sur les fesses.

— Parfait. Appelle-moi demain, je t'expliquerai.

David était un peu étourdi par la conversation et tout ce manège.

Barbara poussa un soupir et regarda David tendrement dans les yeux.

— Tu es vraiment mignon. Tu as une petite amie ?

David eut une pensée pour Clothilde.

— Oui, on peut dire que oui…

— Tu n'as pas l'air sûr !

Elle prit le bouquet et lui mit dans les mains.

— Tiens, apporte-lui ça, les filles adorent les fleurs…

— Pas vous ?

Elle eut un sourire.

— Viens ici.

David s'approcha un peu.

Elle le dit plus doucement, cette fois.

— Viens ici. Plus près.

Il franchit le pas qui les séparait encore.

— Ça, c'est pour te remercier. Parce que tu es juste trop mignon. Mais c'est tout, OK ?

Elle faufila ses doigts dans les cheveux du jeune homme et colla ses lèvres, entrouvertes, sur les siennes.

Elle se détacha une brève seconde.

— Et tu ne touches à rien…

Barbara reprit la manœuvre. Un baiser chaud, ardent, comme David ne se souvenait pas d'en avoir connu. Et elle sentait vraiment bon.

# CHAPITRE 8

C'était la première fois que David lui offrait des fleurs.

Clothilde en était touchée, mais elle l'aurait été davantage si David s'était montré plus enthousiaste lorsqu'elle lui avait ouvert la porte.

— Tiens, pour toi, lui avait-il dit en lui mettant le bouquet dans les mains.

Il avait l'air du mari fatigué qui rentre du bureau après une dure journée.

Clothilde l'avait embrassé. Il sentait le parfum. Elle n'en fit pas de cas.

Après sa visite chez madame Greenberg, David avait préféré se rendre directement chez Clothilde plutôt que de passer chez lui.

Il n'avait rien fait de mal. En tous cas, c'est ce qu'il se disait. Mais il avait une irrésistible envie de prendre une douche. Chez lui, il partageait la salle de bain avec trois autres locataires et il ne restait jamais d'eau chaude quand il en avait besoin. Chez Clothilde, il savait qu'il y aurait des serviettes propres, bien rangées dans l'étagère du couloir, de jolis savons, un petit tapis de bain pour garder les pieds au sec. Et une belle violoniste aux yeux bleus.

Elle lui servit un verre de vin. Ils passèrent au salon. Juliette était sortie, elle ne rentrerait que plus tard.

Il lui parla de sa visite, en épargnant certains détails. Il lui montra le chèque, qu'il avait obtenu pour Annie. Il lui montra l'autre aussi, que Barbara lui avait donné. Il ne voulait pas le garder pour lui seul. Il ne voulait pas être le complice de Barbara Greenberg. Elle ne le méritait pas. S'il devait partager des secrets, Clothilde lui semblait une meilleure dépositaire. Il lui parla des engagements qu'elle lui avait promis, de l'enterrement du lendemain. Comme la cliente voulait un duo à cordes, il demanda à Clothilde de l'accompagner. Il lui parla d'une autre *gig*, à l'Halloween, pour laquelle il n'avait pas encore tous les détails, mais il craignait d'avoir à se déguiser pour l'occasion.

Il avait l'air bien morose, son beau David. Pourtant, il avait bien rempli sa mission. Il avait même obtenu de nouveaux engagements. Et ces fleurs qu'il lui avait données machinalement. Clothilde se demandait ce qui pouvait bien le travailler.

Elle se leva et se rendit à la cuisine. Elle revint au salon avec un vase dans lequel elle avait disposé les fleurs.

Elle prit David par la main. Elle se déshabilla, debout devant lui. Elle lui enleva sa chemise. Détacha son pantalon, puis l'abandonna à son sort.

— Je vais prendre une douche. Viens me rejoindre…

David suivit son joli derrière du regard jusqu'à ce que la jeune femme sorte de la pièce.

Cette fille lui faisait du bien.

Il la rejoignit dans la salle de bain. Elle était déjà sous la douche. Il ouvrit le rideau. Elle se retourna. Elle était belle avec ses cheveux noirs tout mouillés, collés au visage. Son corps d'adolescente, ses petits seins roses, sa peau si blanche, sa tache de violoniste dans le cou, une savonnette à la main. Le jet de la douche lui faisait plisser les yeux comme un petit chat qu'on éclabousse.

Ils s'embrassèrent longtemps sous la pluie chaude. Le baiser de madame Greenberg avait été surprenant. Agréable mais dérangeant. Ceux de Clothilde étaient beaucoup mieux. Ils lui donnaient l'envie de la manger tout rond. Ce qu'il fit éventuellement.

Ils transportèrent leurs ébats dans la chambre de Clothilde. Ils y passèrent encore de longs moments, entrecoupés de rires et de batailles d'oreillers.

Il était presque onze heures lorsqu'ils émergèrent de la chambre pour manger un morceau à la cuisine. Juliette était rentrée entre-temps.

Clothilde alla à sa chambre pour lui dire bonjour et lui signaler la présence de David.

Le gazouillis de leur conversation parvenait aux oreilles de David pendant qu'il fouillait dans le réfrigérateur. Tout allait bien. Et il y avait de beaux restes de jambon, en plus.

Clothilde revint à la cuisine.

— Juliette ne se joint pas à nous ?

— Non. Elle fouille dans ses partitions.

— J'espère que ce n'est pas moi qui la dérange ?

— Ne t'en fais pas. Juliette fait toujours ce qui lui plaît.

— Tant mieux. Je ne voudrais pas m'imposer.

— Pas du tout. Au contraire. Je suis vraiment contente que tu sois ici. Et la maison est assez grande pour tout le monde. Tu es toujours le bienvenu. Toujours, toujours.

— Toujours, toujours ?

— Si tu veux.

— Dans le sens de, je ne sais pas, apporter ma brosse à dents ?

— Oui. Tu peux laisser une brosse à dents ici.

— Du dentifrice ?

— Du dentifrice aussi.

— Quelques vêtements de rechange ?

Clothilde donna un grand coup de poing sur la table.

— Alors là, non. Quand tu viens ici, c'est tout nu, ou tu ne viens pas !

— Un caleçon, tout de même ?

— T'as raison. Les fenêtres sont grandes et les voisins sont curieux.

— C'est gentil.

Clothilde se tailla une tranche de jambon.

— Ah oui, j'ai oublié de te dire : Robert Dubreuil a appelé. Il veut te parler.

— À moi ?

— À nous, en fait. Il était un peu mystérieux au téléphone. Mais il est toujours un peu bizarre, alors… En tous cas, il aimerait qu'on passe chez lui à un moment donné.

— Il veut probablement me donner des bisous, lui aussi.

— Pourquoi lui aussi ?

David hésita. Puis se ravisa.

— Rien. Je pense qu'il me trouve de son goût, c'est tout.

— T'es peut-être bien sexy, mon beau loup, mais je ne crois pas que tu sois son genre. Tu aurais dû voir comment il me regardait quand il m'enseignait. Il n'est pas très bon pour faire semblant de ne pas regarder quand il regarde.

— Et ça ne te dérangeait pas ?

— Penses-tu ! Il est inoffensif. C'est un grand bébé. Il est comme une espèce de savant fou, ou d'idiot savant, ou quelque chose comme ça. Tout le monde me trouvait folle de suivre des leçons avec lui, mais il n'a jamais rien fait de déplacé. Et puis, c'est un bon prof.

— Alors, il te plaît ?

— Fais pas semblant d'être jaloux, gros nono. Mais non, je le trouve vraiment étrange.

Ils s'attardèrent encore un peu à la cuisine, puis ils retournèrent s'ébattre dans la chambre de Clothilde, jusqu'à ce que le sommeil les gagne, encore entrelacés.

: :

David rêvait qu'il était sous la douche avec Barbara Greenberg en bikini lorsque le son d'un violoncelle qu'on accordait se fit entendre. Dans son rêve, Barbara produisait des gémissements de plaisir. David ouvrit les yeux. Il faisait encore nuit. Les petits chiffres bleus qui scintillaient sur l'horloge du téléviseur indiquaient deux heures six.

Tous les instrumentistes ont leur rituel pour accorder leur instrument et se délier les doigts. C'est l'amalgame de ces routines individuelles qu'on entend lorsqu'un orchestre se réchauffe, avant l'arrivée du chef. Et à travers cette jolie cacophonie, il se trouve toujours un corniste pour faire sonner les premières notes de *Till Eulenspiegel*. David s'était toujours demandé pourquoi.

Dans sa chambre, Juliette joua tout d'abord quelques notes en *staccatto volante* d'une pièce de Boccherini, réajusta sa corde de *do*, joua un bout de la *Danse des elfes*, ajusta les cordes de *la* et de *ré* en quinte, puis compléta ses étirements avec les premières mesures des *Variations sur un thème Rococo*.

Clothilde ne semblait pas du tout importunée et dormait profondément. David en était fort surpris.

Mais Juliette entama bientôt la *Romance sans paroles, opus 109* de Mendelssohn, et David, qui n'avait pas encore complètement émergé, se laissa bercer par la musique et replongea facilement dans les abysses d'où on ne l'avait que momentanément extrait.

::

S'il était deux heures six du matin chez Clothilde et Juliette, il était donc seize heures six à Tokyo, vingt-trois heures six la veille à Seattle et un peu après sept heures du matin en banlieue de Londres. Tout le monde ne dormait pas.

À Tokyo, au trente-huitième étage d'une tour du quartier de Roppongi, monsieur Nakamura fit savoir à sa secrétaire, Mitsuko, qu'il souhaitait n'être pas dérangé pour la prochaine heure. L'appel n'était cependant pas nécessaire. C'était déjà noté à l'agenda. Monsieur Nakamura avait pris cette habitude depuis quelques mois. À ce moment de la semaine, il se retirait dans son bureau pour méditer sur le sort de la compagnie dont il était le président et, étant donné sa grande sagesse, probablement sur celui de l'humanité en général. C'était en tous cas ce qu'imaginait Mitsuko. Mais elle n'était pas payée pour imaginer. Son patron était un homme important, constamment sollicité par tout un chacun. Elle aimait à penser qu'elle constituait l'ultime rempart derrière lequel monsieur Nakamura pouvait trouver un peu de quiétude, ne serait-ce qu'une heure ou deux par semaine. Elle mourrait plutôt que de décevoir son patron.

: :

Question remparts, Robert Dubreuil avait quant à lui toujours été bien équipé. Ses propres idiosyncrasies l'isolaient déjà amplement. Son éducation toute particulière et les extravagances de sa mère — et maintenant sa maladie — complétaient le tableau.

Et les dernières nouvelles n'étaient pas terribles.

En venant cohabiter avec Jasmine, il avait espéré qu'elle s'ouvrirait davantage, qu'il réussirait à obtenir les informations qui, pensait-il, lui manquaient. Pourquoi la maison avait-elle toujours été remplie de tous ces hommes ? Qui était son père ? Le connaissait-elle seulement ? L'avait-elle aimé ? Et lui, son fils, l'aimait-elle aussi ?

Peut-être Robert était-il trop pressé. Les interrogatoires n'étaient en tous cas pas la bonne façon d'obtenir quoi que ce soit de Jasmine. Ses crises de paranoïa continuaient. Elle se méfiait de Robert, ne le reconnaissait pas toujours et lui criait des bêtises. Il devait la surveiller constamment pour qu'elle ne fugue pas. Elle n'allait jamais bien loin, mais les voisins en avaient marre de trouver Jasmine en robe de chambre sous leur fenêtre ou à leur porte à toute heure du jour et de la nuit. Robert se disait désolé chaque fois qu'on la lui ramenait, craignant toujours que la police s'en charge la fois suivante s'il ne la retrouvait pas rapidement. Il fallait la distraire. L'attention de Jasmine ne pouvant être soutenue que quelques minutes à la fois, Robert devait faire preuve d'imagination. C'était épuisant. En réalité, il ne connaissait qu'une façon d'entrer un tant soit peu en contact avec sa mère : faire de la musique avec elle ou en jouer pour elle.

Cependant, avec ses mains handicapées, il ne voyait pas de sitôt le jour où il pourrait rouvrir le dialogue.

Peut-être était-il également trop curieux. Peut-on vraiment connaître ses propres parents ? D'ailleurs, peut-on vraiment connaître qui que ce soit ? Et puis après ? Que faire de cette information ? Pour apprendre à se connaître soi-même ? Et pour quoi faire ? Y a-t-il un chemin à éviter et un autre à prendre, qui mènent à des destinations si différentes ?

Sa rencontre avec le représentant des ressources humaines de l'orchestre ne l'avait pas davantage enchanté.

On demandait des rapports détaillés des médecins. Il y avait de la paperasse à remplir, des gens avec qui communiquer. Il ne demeurerait tout de même pas sans le sou. La convention collective prévoyait de telles absences prolongées pour cause de blessure ou de maladie, à un certain pourcentage du salaire, selon l'ancienneté. Il y avait aussi des compensations possibles dans le cas d'une maladie professionnelle, mais on ne pouvait dans ce cas-ci prétendre que les blessures de Robert avaient été causées par la pratique de son instrument, même s'il avait été attaqué par une pianiste.

Robert ne serait pas de retour avant l'été, c'était certain. Il restait à voir s'il y aurait des séquelles et si la rééducation et la physiothérapie pourraient en venir à bout et en combien de temps, dans cette éventualité.

Dans les circonstances, la direction de l'orchestre trouvait précipité d'afficher un poste permanent pour remplacer Robert. On ferait tout d'abord appel à des surnuméraires. Peut-être y aurait-il des auditions. Auquel cas, on demanderait la collaboration de Robert puisque, après tout, et même si on ne le lui dit pas de cette façon, tout cela était sa faute.

Il se sentait bien seul.

Ce soir-là aurait été un de ces soirs où il serait allé passer quelques moments à La chanterelle pour voir des visages et écouter les conversations. C'était maintenant impossible, à moins d'y emmener Jasmine, ce qui n'était pas une bonne idée.

Plus tôt, il avait téléphoné à son ancienne élève, la jolie Clothilde. Avec ce qui se passait chez lui et à l'orchestre, il avait pensé qu'ils pourraient peut-être se rendre service. David, en particulier, serait peut-être intéressé par la proposition qu'il voulait lui faire.

Jasmine avait joué du piano toute la soirée, répétant souvent les mêmes pièces qu'elle pensait lire pour la première fois.

Robert tentait de lui faire la conversation. Elle semblait s'en amuser. Elle lui faisait des yeux doux, le confondant sans doute avec quelqu'un d'autre. Elle l'appelait de toutes sortes de noms, d'hommes qu'elle avait connus, peut-être séduits, ce qui rendait son fils très mal à l'aise. Elle évoquait des noms que Robert ne connaissait pas, des lieux où ils n'étaient jamais allés ensemble, New York, Mexico, Paris, comme si elle commentait l'album de photos de leur voyage. Puis elle s'était mise à pleurer.

Il lui avait servi à souper. Elle n'avait presque rien touché. Avec ses mains plus ou moins paralysées, il ne réussissait qu'à faire réchauffer des plats tout faits au micro-ondes, qu'elle ne semblait pas apprécier.

Mais elle avait mis beaucoup de sucre dans son verre de vin rouge et s'était empiffrée des chocolats suisses qu'il avait achetés pour elle. Robert avait, depuis quelques jours déjà, renoncé à discuter les goûts farfelus de sa mère malade. Ce n'était pas joli à regarder, mais elle semblait en tirer beaucoup de plaisir.

Après, Jasmine s'était finalement retirée dans sa chambre. Elle s'endormirait devant sa télévision allumée. Robert passerait plus tard pour l'éteindre en faisant très attention de ne pas réveiller sa mère.

Dans d'autres circonstances, il aurait éteint, pris son violon et joué tout en déambulant dans la pénombre. Le violoncelle est un instrument formidable, mais on ne peut pas en jouer en marchant. Pour Robert, jouer du violon en faisant quelques pas dans le noir, c'était comme chanter pour se donner du courage sans avoir à prononcer un mot. Rouler la nuit vers un être aimé dont on ignore l'adresse.

Dans d'autres circonstances encore, il serait allé se réfugier dans les bras d'une belle femme, douce, qui l'attendait.

Mais ce sont des circonstances qui n'étaient pas les siennes.

C'est bête d'être encore vierge à cinquante ans.

Il ne se faisait pas de reproche. C'était juste un constat. Il trouvait cela dommage, et bête.

Robert aussi avait fréquenté les camps musicaux dans sa jeunesse, mais pas avec le même succès que David. D'ailleurs, même si une fille égarée dans les bois s'était un jour retrouvée par hasard dans sa hutte, il n'aurait probablement pas su quoi en faire. Il aurait sans doute tenté de lui démontrer les différences entre les doigtés utilisés par l'école russe pour effectuer les gammes en montant directement en position sur la corde de *sol*, plutôt que la méthode enseignée à Juilliard par Dorothy DeLay qui privilégie un démanché par la corde de *la*.

Et si la malheureuse, en s'enfuyant, avait alors cru que le jeune Robert tentait ainsi de l'émoustiller par ses allusions au doigté, au démanché, au vibrato et aux grands écarts qui pouvaient truffer son discours, elle se serait trompée.

Il aimait pourtant les filles. Les avait toujours aimées.

À ses yeux toutefois, rares étaient celles qui auraient pu rivaliser en beauté avec sa mère.

Et même s'il s'en trouva de fort jolies qui croisèrent son regard ou même avec lesquelles il tenta un rapprochement, elles ne correspondaient jamais à l'idéal qui s'était lentement construit dans sa tête, probablement à son insu. N'ayant eu que la démesure et l'excentricité comme modèles, il prenait la sagesse pour de la tiédeur, la simplicité pour de la sottise. La constance pour de la médiocrité. De la même façon, il s'était toujours méfié de la douceur. Jusqu'à ce qu'il s'aperçoive qu'elle lui avait cruellement manqué. Il était alors trop tard pour que, même s'il s'en était trouvé sur son chemin, celle-ci puisse prendre racine sur le caillou qu'il était devenu. Et il n'était même pas certain qu'il aurait su la reconnaître si elle s'était présentée à lui.

Les vingt-six dernières années étaient passées en coup de vent. La routine de l'orchestre, des saisons et des programmes qui se succèdent lui avait apporté une sécurité qui lui avait manqué à un niveau tel qu'il se passa bien dix ans avant qu'il s'y habitue un peu et commence à y croire.

Le temps passe vite pour ceux qui sont concentrés sur ce qu'ils font. C'est la beauté et en même temps le piège de la passion. Et bien que la vie d'orchestre ne l'ait jamais passionné, la musique, elle, le nourrissait. Elle remplaçait beaucoup de choses, mais Robert l'ignorait. Il accordait peut-être trop d'importance aux choses qu'à ses yeux tout le monde avait, sauf lui. Sa vie avait été et continuait d'être plus riche qu'il le croyait. Il n'avait pas vraiment d'amis, mais combien peuvent se vanter d'avoir de vrais amis ? Il n'avait pas connu l'amour. En tous cas pas celui qu'on nous retourne. C'est vrai. Mais on lui avait aussi épargné de cette façon toutes sortes de tortures.

Finalement, à cinquante ans, et malgré ce qu'il pouvait en penser, Robert n'était peut-être pas aussi esquinté qu'il aurait pu l'être s'il avait connu le bonheur et payé ce qu'on donne souvent en échange pour l'obtenir. Pendant ce temps, il avait pu se consacrer entièrement à la musique et à l'observation silencieuse du monde.

Il demeure qu'il lui aurait bien plu d'avoir des enfants. Au moins un. Cela dit, il était aussi reconnaissant de ne pas vivre et de ne pas avoir vécu le genre de situations déchirantes, de séparation et de reconstitution de famille dont il entendait constamment parler autour de lui. Il ne comprenait pas qu'on puisse se séparer d'un enfant de quelque façon, mais il reconnaissait qu'il était le plus mal placé pour discourir objectivement sur la question.

Très Danceny et pas du tout Valmont, les quelques liaisons que Robert avait tout de même connues dans sa jeunesse n'avaient jamais eu quoi que ce soit de dangereux.

Oh, il y en avait bien eu quelques-unes qui s'étaient laissé embrasser, par curiosité, par ennui ou par jeu, mais qui s'étaient rapidement ressaisies lorsqu'elles avaient découvert l'individu bizarre à qui elles avaient affaire.

Par un étrange réflexe conditionné, plus on le rejetait, plus Robert devenait convaincu de son amour et s'acharnait à en convaincre l'objet de son désir. La belle recevait alors des lettres beaucoup trop longues et denses, proposant des arguments logiques à l'union de leurs destinées, incluant à la fois des promesses extravagantes et des menaces désespérées. Comme on peut s'en douter, rien de bon ne résulta jamais de ces tristes plaidoiries.

Également triste était le fait que, s'il s'était trouvé une jeune femme à qui Robert aurait pu plaire un peu, et il dut bien y en avoir une ou deux, il n'aurait pas su en reconnaître les signes. Il semblait chercher quelque chose d'autre. Une douleur réconfortante qui lui rappelait qu'il existait.

Échaudé, il tomba dorénavant amoureux de jeunes femmes qui n'en furent que rarement informées.

Il avait appris à aimer de loin.

Pour ses autres désirs, il y avait toujours l'imagination. Et, depuis quelques années, Internet.

Il n'avait jamais eu recours aux professionnelles de l'amour. Le Schumann en lui ne l'aurait pas permis. Il n'y avait qu'une Clara Wieck, et l'amour ne pouvait se concevoir hors de l'amour.

Cela dit, Robert avait éventuellement découvert les trésors dont regorge Internet pour assouvir sa curiosité tout esthétique de l'anatomie féminine.

Il avait tout de même dû fouiller un peu.

Ce qu'Internet propose au premier coup d'œil comme idéal de l'érotisme ne correspondait pas du tout à ses goûts. Les corps plastifiés, basanés artificiellement, les blondeurs platine et les excès acrobatiques ne l'allumaient guère. Où étaient le charme, le mystère, la séduction ? Ses repères étaient déjà d'une autre époque ; ses fantasmes, plus innocents.

Puis, un jour, un soir en fait, il découvrit les charmes en noir et blanc de son idéal féminin.

Il avait appris à effectuer des recherches plus spécifiques, qui l'amenaient toujours plus près de l'univers qu'il espérait. Un monde où les femmes étaient dévêtues, certes, mais continuaient néanmoins à vaquer à leurs petites occupations. Celle-ci prenait son bain. Celle-là passait l'aspirateur, vêtue que d'un tablier. Cette autre éprouvait de la difficulté à s'endormir et ne cessait de se retourner sur son lit, étreignant une peluche. Un monde sans hommes visibles, qui auraient nécessairement tout gâché. Elles semblaient toutes attendre quelqu'un, ou se douter qu'on les observait, mais on ne les sentait pas inquiètes, puisqu'elles souriaient. Elles étaient très peu maquillées, mais toujours bien coiffées. Et elles avaient des poitrines énormes. Naturelles, débordantes, généreuses, palpitantes, gorgées, laiteuses, animées de frisson, parcourues de petites veines bleutées, sensibles, espiègles, charnelles, provocantes, parfois même arrogantes, lourdes, maternelles.

Virginia Bell, un nom de scène sans doute, avait tous ces attributs, de jolies boucles blondes et en plus un sourire lumineux mis en valeur par des fossettes tout à fait mignonnes. Les photos et les courtes vignettes filmées dataient vraisemblablement de la fin des années 1950 ou du début des années 1960. Virginia passait le râteau dans le jardin, elle faisait quelques exercices sur un petit tapis, elle faisait jouer des disques sur un vieux gramophone, prenait du soleil, se penchait pour chercher un livre dans la bibliothèque et passait généralement beaucoup de temps à se prélasser sur son canapé, couchée ou à quatre pattes. Le regard enjoué, le sourire aux lèvres, malgré ses vêtements souvent trop justes et sa poitrine qui luttait contre cet emprisonnement forcé dont on la libérerait bientôt, on pouvait en être assuré, elle apportait la joie dans les foyers. C'était, de toute évidence, sa nature.

Malheureusement, vu le nombre limité d'images de madame Bell et malgré le réconfort qu'elles lui apportaient, Robert dut bientôt élargir ses horizons. C'est ainsi qu'il découvrit d'autres consœurs de Virginia Bell. Certaines plus anciennes, d'autres plus récentes: Suzanne Pritchard, Roberta Pedon, Sylvia McFarland, toutes dotées de semblables attributs. Puis vinrent les films de Russ Meyer, avec Lorna Maitland, Uschi Digard. Ses œuvres magistrales, telles que *Mondo Topless* et *Faster, Pussycat! Kill! Kill!* Un cinéaste visionnaire qu'on avait, de l'avis de Robert, injustement mis au rencart même s'il utilisait un montage d'une rare vivacité et des angles de caméra audacieux.

Hors de ce champ relativement limité, Robert ne se risquait que rarement. Mais aussi stimulantes qu'aient pu être ces fréquentations, elles le ramenaient tout de même à sa solitude et à ses désirs inassouvis. Notamment, celui d'entrer en contact avec un être humain. Et pourquoi pas une femme.

Il était tard. Jasmine dormait sans doute depuis longtemps. Robert entra doucement dans la chambre de sa mère pour éteindre le téléviseur.

— Tu fausses!

Robert sursauta. Jasmine était couchée sur le dos. Elle souriait. S'adressait-elle à lui ? Robert s'approcha pour mieux entendre. Il attendit quelques secondes.

— Maman ?

Elle avait les yeux bien fermés.

— Maman ? Tu dors ?

Jasmine rêvait. Elle poussa un long soupir, qui semblait de contentement, puis se retourna sur le côté.

— Tu fausses, mais je t'aime.

Robert resta encore une minute au cas où, mais il l'entendit bientôt ronfler. Il sortit de la chambre sans faire de bruit.

Ça ne pouvait pas être de lui, dont elle parlait puisqu'il jouait toujours juste.

Il se retira dans sa chambre. Il s'assit à la petite table et alluma son ordinateur portatif.

Avec les pansements qu'on lui avait faits aux mains, il lui était devenu difficile de manipuler le clavier de son ordinateur. Quant à se manipuler lui-même si les images qu'il contemplait l'incitaient à le faire, la chose était encore plus ardue.

Il évita donc les lieux de ses fréquentations habituelles et se dirigea plutôt vers un site de conversations en ligne qu'il avait découvert quelques semaines plus tôt en cherchant autre chose. Une photo attira son regard. Yoyomaiden. Il cliqua pour entrer dans le *chatroom*. La fenêtre était divisée en deux : à gauche, l'image d'une chaise vide ; à droite, le texte de la conversation qui défilait entre les participants, aux noms aussi variés que ridicules. La discussion se tenait en anglais.

Cockring69 — Où est-elle ?
Kittylicka — La patience sera récompensée.
Cunninglingo — Salut Cockring !
Cockring69 — Salut Cunning !
Butternuts — **Butternuts a donné 200 jetons.**
Dildoqueen — Bravo, Butter.

Plunger — **Plunger a donné 201 jetons.**
Ass-pie-ring — Hi ! Hi ! La guerre des jetons !
CadillacTrucker — Et le show n'est même pas commencé !
Doshuevos — Bonsoir les gars !
Kittylicka — J'ai plus de jetons !
Cunninglingo — Je dois bientôt aller travailler.
Plunger — Il est quelle heure dans ton pays ?
Cunninglingo — C'est l'heure d'aller travailler.
Godzilla54 — Bonjour messieurs !
Butternuts — Attention, c'est Godzilla qui s'amène ! !
Kittylicka — S'il vous plaît, attendez la fin du spectacle avant de nous attaquer !

À Tokyo, monsieur Nakamura sourit. Non seulement ces échanges bon enfant entre les participants l'amusaient-ils beaucoup, mais ils lui donnaient l'occasion de parfaire son anglais un peu approximatif.

Godzilla54 — Vous êtes amusants. Vous tirez mon jambe encore !
Cunninglingo — On ferait jamais ça à quelqu'un qui a autant de jetons, Godzo.
Godzilla54 — Où est mademoiselle Maiden ?
Dildoqueen — Elle se réchauffe…

C'était un peu comme être assis à La chanterelle. Robert lisait ce dialogue comme il aurait écouté les conversations. Il ne lui manquait qu'une bière ou un petit cognac.

Il se leva pour aller se chercher à boire à la cuisine.

Il trouva une bouteille de vin entamée dans le réfrigérateur. Il prit un verre dans une armoire et dut utiliser ses dents pour retirer le bouchon trop bien enfoncé dans le goulot de la bouteille.

« Bouchon de m… »

Robert interrompit la manœuvre pour tendre l'oreille. Il entendait de la musique. Avait-il oublié de fermer le téléviseur ? Il ne voulait surtout pas que Jasmine se réveille, maintenant qu'il avait un petit moment à lui pour se relaxer. Il prit la bouteille à bras-le-corps, le verre du bout des doigts et sortit de la cuisine.

La musique provenait de sa chambre.

Du violoncelle.

Il reconnut la *Romance sans paroles, opus 109*, de Mendelssohn.

Robert déposa la bouteille et le verre tant bien que mal sur la table et reprit place devant son ordinateur.

Juliette, c'était bien elle, celle qu'il savait avoir déjà aperçue quelque part. Il avait vu sa photo sur le site lors de sa première visite.

Et la voilà qui jouait du violoncelle, devant lui, pour lui et, selon le nombre qui apparaissait en haut de la fenêtre, sept cent vingt-deux autres spectateurs assis devant leur écran, un peu partout dans le monde, à Seattle, à Perth, en banlieue de Londres ou à Tokyo.

Les conversations s'étaient interrompues, mais elles reprirent dès que Juliette eut terminé le Mendelssohn.

Elle se rapprocha de son clavier et de la caméra de son ordinateur.

Yoyomaiden — Bonsoir les gars !
Butternuts — **Butternuts a donné 300 jetons.**
Dildoqueen — Bravo, Maiden, tu es magnifique, comme toujours.
Plunger — **Plunger a donné 301 jetons.**
Yoyomaiden — Merci Butter, merci Plunger.
CadillacTrucker — Tu es tellement sexy quand tu joues comme ça !
Kittylicka — Malheureusement, je n'ai plus de jetons…
Yoyomaiden — C'est pas grave, Kitty. Détends-toi et profite du spectacle.
Kittylicka — Comme tu es gentille !
Cunninglingo — **Cunninglingo a donné 50 jetons.**
Yoyomaiden — Merci, Cunning ! Comment vas-tu ?
Cunninglingo — Très bien, Maiden. Joue encore, tu veux bien ?
Plunger — Tu te déshabilles ?

Cunninglingo — Ta gueule Plunger, elle fera ce qu'elle veut, OK ?
Yoyomaiden — Y a pas de mal. On verra comment la soirée se déroule, d'accord les gars ?
Godzilla54 — **Godzilla54 a donné 2000 jetons.**
Dildoqueen — Wow ! Le voilà encore ! Godzo est riche !
Yoyomaiden — Généreux, comme toujours, Godzilla. Merci beaucoup !

Robert n'en croyait pas ses yeux. En jetant un coup d'œil à la foire aux questions du site, il apprit que les participants pouvaient acheter des jetons. La moitié de la somme des jetons donnés allait aux propriétaires du site et l'autre à la jeune fille à qui on voulait de cette façon témoigner son appréciation. Un calcul rapide permit à Robert de comprendre que Juliette avait déjà gagné environ cent cinquante dollars juste pour jouer — fort joliment par ailleurs — cette *Romance sans paroles.*

Et cela ne faisait que commencer.

Dieu qu'elle était belle, cette Juliette, dans sa petite robe rouge cintrée ! Ses boucles blondes tombaient sur son visage lorsqu'elle était penchée sur son clavier d'ordinateur. Elle se redressa et prit un petit moment pour se faire un chignon avec un élastique sans quitter la caméra des yeux. Elle pencha la tête vers l'arrière et ramassa sa blonde chevelure d'une main tandis que l'autre l'attachait. Ce seul petit geste, élégant, féminin, qui nous faisait découvrir son cou de cygne tout en mettant sa poitrine en évidence, sembla émouvoir son auditoire. Trois cent cinquante jetons se rajoutèrent à la cagnotte.

Elle ne parlait pas, cependant. Elle ne semblait s'exprimer que par écrit, bien qu'on l'ait entendue à quelques reprises s'esclaffer à la lecture de commentaires particulièrement spirituels ou grivois de son auditoire. Elle envoyait parfois des baisers, qu'elle soufflait sur sa main, pour saluer l'arrivée d'un admirateur ou en remercier un autre, mais c'était tout.

Yoyomaiden — De retour dans une minute. Qu'est-ce que je devrais enfiler ?

Elle se leva et disparut de l'écran.

Les clavardeurs continuaient la conversation entre eux.

Doshuevos — Bikini, tu penses ?

Manitasdeplata — Pas tout de suite, ça m'étonnerait.

Plunger — Quel suspense !

Juliette réapparut à l'écran, en soutien-gorge et petite culotte bleu ciel, à moitié cachée par les deux ensembles qu'elle avait à la main. L'un était un *body* en filet blanc, qu'elle approcha de son corps pour en évaluer l'effet, comme elle l'aurait fait devant un miroir ; l'autre était une guêpière noire qu'elle présenta de la même façon.

Cunninglingo — C'est maintenant certain que je vais être en retard. Mais je ne veux rien manquer !

Fluideglacial — Le blanc, le blanc !

CadillacTrucker — J'aime le truc noir, à la Cat woman.

Kittylicka — C'est une guêpière, connard !

CadillacTrucker — Nul besoin de s'insulter, Kitty.

Godzilla54 — J'aime aussi le blanc.

Juliette était penchée sur son écran et semblait beaucoup s'amuser du débat qui faisait rage.

Elle se retira de nouveau. En moins d'une minute, elle était de retour. Elle avait choisi le *body* de filet blanc, sous lequel elle avait cependant gardé son soutien-gorge et son slip bleu sainte vierge.

Yoyomaiden ajusta l'angle de la caméra, fit un tour sur elle-même pour qu'on puisse apprécier sa tenue et prit place sur la chaise au pied de laquelle elle avait déposé son violoncelle. Elle saisit son instrument et commença à jouer une berceuse de la *Suite française* de Bazelaire.

Robert Dubreuil était sous le charme.

Par curiosité et pour mieux comprendre le phénomène, il jeta un coup d'œil rapide aux autres salons de clavardage du site. Il constata rapidement que Yoyomaiden était unique en son genre. Ailleurs, des femmes, de tous âges et de toutes formes, s'exhibaient de vulgaire façon, encourageant les propos et les requêtes les plus audacieuses, voire carrément pornographiques, feignant l'extase, ou s'y rendant pour vrai, armées de toutes sortes d'outils, manuels ou à piles.

Robert revint vite chez Juliette, qui jouait maintenant *Le Cygne* de Saint-Saëns.

Elle s'était apparemment libérée de son soutien-gorge entretemps.

La caméra était placée de telle façon que, selon les mouvements de la musicienne, on pouvait apercevoir ou deviner le galbe de ses seins abondants, dans un jeu de cache-cache à travers les mailles du filet blanc de son vêtement moulant et le va-et-vient du violoncelle que Juliette étreignait langoureusement entre ses jambes.

Les jetons s'accumulaient.

Monsieur Nakamura se versa un cognac et alluma un cigare.

Le concert continua ainsi pendant près d'une heure.

Quand Juliette joua les premières notes de la première *Suite* de Bach pour violoncelle seul, elle était complètement nue. Les habitués savaient que Yoyomaiden finissait toujours ses spectacles par cette pièce.

Son Romeo y Julieta robusto s'achevant, monsieur Nakamura le déposa sur le cendrier de jade où le cigare s'éteindrait de lui-même. Il sortit un joli mouchoir de soie de sa poche et descendit la braguette de son pantalon. Un geste et une manœuvre qui se produisirent simultanément à Seattle, à Perth, en banlieue de Londres, à Oslo et ailleurs. Par centaines.

Dans la chambre qui voisinait celle de sa mère, Robert Dubreuil ne put en faire autant. Qu'importe, il était amoureux.

Même Virginia Bell, dans toute sa généreuse splendeur, n'aurait pu rivaliser.

La sérénité de son jeu, dépourvu d'effets racoleurs — malgré la nudité de la prêtresse — se conjuguait à la beauté de la musique, également dépouillée d'artifices. L'expérience allait au-delà de l'exhibition, prenait plutôt l'aspect d'une communion qui, au-delà des mots, culminait par l'exultation de l'assemblée sur une chasuble de Kleenex ou de soie, selon ce que le paroissien avait alors sous la main.

Quand Juliette eut joué les dernières notes de son Bach, elle s'approcha de son clavier pour y taper un dernier au revoir.

Yoyomaiden — Au revoir, Messieurs. À bientôt…

Elle souffla un baiser.

Debout devant son ordinateur, monsieur Nakamura porta le verre à ses lèvres et but la dernière gorgée de son cognac.

« Sayonara, Maidensan. »

Godzilla54 — **Godzilla54 a donné 5000 jetons.**

# CHAPITRE 9

« Tu fausses, mais je t'aime. »

Si on décidait un jour d'écrire le roman de Jasmine, le narrateur — aussi omniscient qu'il fût — rencontrerait tout de même quelques difficultés à ce stade de l'histoire.

Un récit à la première personne ne ferait pas davantage l'affaire, puisqu'il supposerait la conscience de la principale intéressée et sa volonté — de même que sa capacité — de verbaliser sinon la réalité, du moins ses impressions des événements.

Jasmine n'était pourtant pas devenue muette, mais le sens des mots, de ceux qu'elle prononçait comme de ceux qu'elle entendait, de ceux par lesquels ses idées et ses sentiments s'étaient toujours formulés dans son esprit, s'aventurait chaque jour un peu plus au-delà des sentiers connus. Il n'était pas perdu, mais alors que les routes de jadis avaient toujours été balisées de cailloux blancs, Jasmine ne disposait plus que de miettes de pain. Et les corbeaux qui tournaient au-dessus de sa tête étaient voraces.

Comme autant de fréquences sonores qui ne sont audibles que par certains animaux, de couleurs du spectre invisibles aux yeux humains, les souvenirs et la conscience de Jasmine étaient en train de basculer dans une autre dimension. Nul n'aurait pu dire si ce monde était plus ou moins riche que le nôtre, mais, de l'extérieur, on ne pouvait se fier qu'à des impressions ou à des hypothèses pour en obtenir des nouvelles, ou encore en reconstituer une maquette approximative. Et si un narrateur espérait y faire de l'exploration, la moindre des choses était de s'essuyer les pieds avant d'entrer.

::

Il faussait, en effet. Mais elle l'aimait.

Elle était si jeune, et il lui avait fait tant de peine.

Ils avaient beaucoup joué de sonates de Schubert ensemble. Elles n'étaient pas trop difficiles pour lui. Pour elle, c'était du bonbon. Cette musique avait laissé en elle des traces indélébiles.

Ce n'était pas de ses talents musicaux qu'elle s'était éprise. C'était de son regard pénétrant. De son calme, aussi, de l'assurance silencieuse qui se dégageait de lui. Et il la faisait rire. Il avait l'air tellement sérieux. Les bouffonneries qu'il lui réservait n'étaient qu'encore plus irrésistibles.

Jasmine rêvait.

Ou peut-être était-elle éveillée, et c'est tout le monde qui dormait autour d'elle. Qui rêvait à haute voix. À tue-tête. C'était tout à fait possible.

Comment expliquer autrement ce pouvoir qu'elle avait maintenant de lire dans les esprits et les cœurs ?

Comme dans un rêve, aussi, il lui arrivait de ne pouvoir parler. De se sentir paralysée, ou au contraire de recommencer perpétuellement les mêmes gestes, dans une valse sans fin.

Il n'y avait plus de présent. Plus de temps, tout court.

Plus de souvenirs. Plus d'explications. Plus de conséquences.

Il n'y avait plus que des sensations. Et de l'amour.

Ça la faisait rire.

« Tu fausses, mais je t'aime. »

Son Robert, lui, ne faussait pas. Et il ne faisait même pas exprès.

Mais cet autre enfant, elle n'avait jamais su.

Elle était au bout du monde, comme on l'est à vingt ans, peu importe où on se trouve, lorsqu'on est amoureux.

Au bout du monde, dans un tout petit appartement. Il venait la visiter le soir. Ils allaient au concert et au théâtre. Elle lui jouait du Scriabine et du Scarlatti.

Un jour, il avait apporté un violon. Il en avait joué, plus jeune. Il aimait beaucoup la musique, mais avait choisi un autre métier. C'était tant mieux.

La mémoire est infidèle. Elle ne garde que ce qu'on aura perçu, ou même cru percevoir. Ce qui avait pris sa place dans l'âme de Jasmine était beaucoup mieux.

Ce n'étaient plus des souvenirs. C'était le film de son aventure. Les points de vue étaient multiples ; la trame sonore, riche et variée. Il n'y avait pas de début et on ne pouvait en deviner la fin. Jasmine en était à la fois la spectatrice, la comédienne et la pellicule même où s'étaient imprimés ces kilomètres d'images. Débarrassée de ses douleurs comme de ses fantasmes, elle n'avait plus besoin d'aucun montage. Le tissu de mensonges tombé, la vérité se montrait enfin toute nue.

Elle voyait qu'elle avait aimé. Elle savait qu'elle en avait joui comme elle en avait souffert. Blessée, elle s'était fait la promesse de n'être plus amoureuse, ce qui ne l'avait pas empêchée de distribuer de l'amour. Elle avait été égoïste, elle avait été violente. Elle avait été tentée par la douceur, mais n'y était pas à l'aise.

On l'avait abandonnée alors qu'elle était enceinte. Elle avait gardé son secret pour elle et son enfant pour d'autres. Elle ne revit jamais ni le père ni l'enfant. Elle se consacra à la musique qui, elle, ne l'avait jamais trahie.

S'il y avait eu de l'amertume, il n'y en avait plus. La colère, elle, était enfouie trop profondément pour qu'on craigne qu'elle ressurgisse.

Et puis, il y avait eu Robert, il y aurait toujours Robert.

Le regard de son fils ne lui rappelait personne d'autre qu'elle-même. Sa voix, que la musique qui l'avait engendré.

# CHAPITRE 10

La neige avait neigé. Un froid intense avait suivi et la vitre du bus où David prenait place était un jardin de givre. Il se laissait bercer par le rythme somnolent du véhicule bondé, les spasmes de la circulation à l'heure de pointe s'assurant toutefois de le tenir éveillé.

Autour de lui, les têtes anonymes et les haleines fatiguées de fin de journée, les pulsations étouffées des musiques éparses qui provenaient des écouteurs que tous semblaient porter aux oreilles, des regards dans le vide, des enfants qui se tiraillaient. Debout, une dame coincée entre les sacs à dos d'une bande d'adolescents bruyants tentait de lire son recueil de poésies de Nelligan.

Quel ennui il avait, il avait !

Cela dit, le jeune homme était beaucoup mieux équipé pour affronter ce soir d'hiver qu'il ne l'avait été contre la pluie et les vents de l'automne.

Mais c'est justement ce qui l'ennuyait.

Madame Greenberg avait tenu promesse. Les engagements affluaient, mais Barbara semblait prendre un malin plaisir à soumettre David à toutes sortes d'humiliations. Souvent costumées.

Quelques passagers descendirent et, même si on respirait mieux, David regrettait de les voir partir.

On sortait plus qu'on entrait dans le monde, à cette époque de l'année où tout s'achève. David calcula que, depuis les dernières semaines, il avait fait six enterrements, mais seulement deux baptêmes.

Ces genres d'engagements étaient ceux qui lui plaisaient le plus.

Pour les enterrements, il se trouvait la plupart du temps assez libre de choisir le répertoire. La famille éprouvée en avait déjà assez sur les bras.

Il préférait les vieilles églises, perché dans les jubés, près de l'orgue. L'acoustique y était souvent flatteuse et permettait de donner pleine mesure à sa sonorité. Il regrettait beaucoup son violon, cependant, en cale sèche pour plusieurs semaines encore.

L'instrument de Sylvain était si terrible qu'il arrivait à David d'emprunter celui de Clothilde, s'ils ne jouaient pas ensemble et si l'emploi du temps de celle-ci le permettait. Ce n'était évidemment pas toujours possible.

Elle avait un violon allemand, relativement récent. Il n'était pas aussi puissant que son Jules Leclais et les graves, pas aussi profondes, mais il avait une belle corde de *la* et des aigus très fins. Il était beaucoup plus délicat que le Clio, ce qui donnait à David l'impression d'être lui-même plus costaud, comme si ses mains, ses bras et ses épaules avaient gagné en volume. C'était une agréable sensation.

Pour les enterrements, donc, il jouait le mouvement lent de *L'Hiver*, de Vivaldi. L'andante de la *Sonate n° 2 pour violon seul* de Bach était également fort efficace dans ces circonstances. Si le client ne montait pas directement au ciel après ça, il fallait vraiment qu'il ait mené une existence déplorable.

Ce mouvement constituait par ailleurs un excellent exercice de précision pour David. L'andante, en *la* mineur, se joue sur un seul violon, bien sûr, mais est écrit de telle façon que l'auditeur pourrait croire que deux instruments se parlent, s'interrogent et se répondent. Parce qu'il s'agit d'un mouvement lent, relativement dépouillé, les deux voix s'entrecroisent à découvert et la difficulté consiste à bien les distinguer l'une de l'autre, tout en assurant que leurs chants participent d'une intention commune.

Parce que cette sonate se joue *a capella*, l'instrumentiste est le seul maître à bord et peut se permettre toutes les libertés d'expression que le moment commande. David ne pouvait s'empêcher d'être touché par la peine qui affligeait les personnes rassemblées pour la triste circonstance. Des frères, des sœurs, des amis, des cousins, des cousines, jeunes et vieux, qui s'étreignaient, en silence ou en pleurs. Parfois, on avait amené des tout-petits, qui couraient partout, sans souci, vêtus de leurs plus beaux habits, qui seraient tout sales quand ils arriveraient à la maison tout à l'heure.

La musique n'était pas faite que pour les enterrements, évidemment, mais elle était un véhicule des plus appropriés pour ces moments où les mots sont de peu de secours.

David prenait sa mission à cœur. En fait, il se sentait privilégié de jouer pour un auditoire ainsi disposé à la méditation. Il se faisait l'écho de leur chagrin, simple messager des réponses que la musique avait à proposer. Ces réponses n'arrangeaient rien, n'y prétendaient pas. Mais leur souffle passait, touchait peut-être, avant de disparaître on ne sait où.

Pour les baptêmes, c'était la même chose, mais à l'envers. Au lieu de *L'Hiver*, il jouait *Le Printemps*. Plutôt qu'un andante, c'était un allegro. Le souffle passait, léger.

La bande d'adolescents descendit en grappe à l'arrêt suivant.

David en avait encore pour quelques autres.

Il était bien au chaud avec ses collants, sa chemise à jabot et son uniforme de mousquetaire. En fait, il crevait de chaleur, parce qu'il n'osait pas enlever son gros anorak de peur de révéler tout le ridicule de son accoutrement. David pensait peut-être que personne n'avait remarqué le large chapeau à plumes et la perruque à boudins qu'il tentait de dissimuler entre son étui à violon et son sac de partitions, dans lequel il avait réussi à fourrer son lutrin et ses vêtements civils. Mais il se racontait des histoires.

Pour l'Halloween, Barbara lui avait fait porter un costume de clochard, censé rappeler le personnage de Charlie Chaplin, avec le petit chapeau, la canne, la moustache et le noir autour des yeux. Ayant pour thème l'âge d'or du cinéma, il s'agissait d'une soirée de collecte de fonds pour un organisme culturel, dont David ne comprit jamais la mission exacte. Quand il arriva sur les lieux, il constata que non seulement les serveurs et les musiciens du *band* étaient costumés pour l'occasion, mais que tous les invités l'étaient aussi. Les organisateurs de l'événement n'avaient malheureusement pas prévu que tout le monde aurait la même idée géniale, si bien qu'on se retrouva bientôt avec une bonne dizaine de Charlot qui se promenaient avec des plateaux chargés de canapés ou qui demandaient à boire pendant qu'ils discutaient avec King Kong, R2-D2 ou un autre Chaplin. Certains serveurs profitèrent de la confusion ambiante pour s'empiffrer de petits fours et se péter la gueule au champagne, ce qui causa beaucoup de remous en cuisine et de soucis au Fitzcarraldo responsable du service.

David avait cependant pu quitter l'événement assez tôt, puisque sa mission ne consistait qu'à jouer *Sous les ponts de Paris* en boucle, au sommet du grand escalier mécanique par lequel arrivaient tous les invités. La chanson ne durant que trois minutes environ, il avait dû la reprendre une trentaine de fois, jusqu'à ce que les derniers personnages fassent leur entrée, en l'occurrence Betty Boop et Laurence d'Arabie, ou peut-être Betty Page et Valentino, c'était difficile d'en juger avec certitude.

La semaine suivante, Barbara l'avait *booké* pour une soirée dite médiévale, mais où tous les anachronismes possibles s'étaient donné rendez-vous ; notamment, lorsque le gambiste qui devait l'accompagner lui donna les partitions, toutes baroques ou renaissance. Cela ne sembla déranger personne. Tout le monde continua à réclamer du sanglier et de l'hydromel sans se soucier qu'on leur servît du jambon et de la bière. À en juger par les costumes et les usages qu'il put observer, David apprit ce soir-là que le Moyen Âge était une époque située très exactement quelque part dans l'ancien temps, dans la mesure où on était assis sur des tabourets et que nos vêtements bouffants étaient retenus par de nombreux lacets.

À bord de l'autobus, David se doutait que, malgré son costume de Lully, on lui ferait sans doute jouer des valses de Strauss ce soir.

Il se demandait aussi où Barbara pouvait bien trouver tous ces clients qui réclamaient des musiciens, mais qui ne semblaient pas aimer la musique. Ou peut-être aimaient-ils la musique, ou l'auraient-ils appréciée davantage si on leur avait donné l'occasion d'en écouter un peu.

David était loin d'être un puriste et son propre iPod était rempli de toutes sortes de choses hétéroclites, mais il avait du mal à s'expliquer qu'on entende si peu de musique dite classique, au quotidien. Il était aussi intrigué par le fait que, lorsqu'on en entendait, dans la publicité par exemple, c'était pour souligner le caractère luxueux d'un produit, comme si cette musique-là coûtait plus cher qu'une autre, ou par dérision, lorsqu'on voulait caricaturer une certaine bourgeoisie ou quelque attitude hautaine, snob ou déconnectée de la réalité.

Puis, il y avait eu des réceptions privées, des lancements, des cocktails pour lesquels il n'avait pas eu besoin de se travestir davantage que de porter son *tux*, mais où il avait tout de même senti qu'on le traitait, au mieux, avec un certain paternalisme, au pire, comme un domestique.

Il faut dire que ce sont souvent les musiciens eux-mêmes qui, par leur comportement, suscitent ces réflexes. Ils se lient naturellement avec les serveurs, les gens du vestiaire, du ménage. Ceux qui, comme eux, entrent par la porte de derrière et avec qui ils partagent les espaces de service et le reste des canapés, après la réception. D'ailleurs, ils sont habillés de la même façon, en blanc et en noir. Et ils sont souvent vraiment gentils les gens du *staff*.

Mais, sans rien enlever à ceux qui pratiquent ces métiers, David imaginait tout de même que, après toutes ces années et tous les efforts consacrés à l'apprentissage de son instrument, de cette technique, de son art… est-ce que c'était bien normal qu'il se sente comme il se sentait trop souvent, quand il sortait d'un de ces engagements ? C'est-à-dire comme un peu plus que pas grand-chose ?

Au moins, c'était rentable à court terme. Si les choses continuaient ainsi, il serait en mesure de rembourser Juliette dans quelques mois.

Mais c'était dur pour le moral. Quand Barbara Greenberg lui avait demandé s'il était prêt à accepter n'importe quoi, il ne se doutait pas qu'il aurait à faire le clown à ce point.

Et quand son père lui avait demandé comment allaient ses affaires quelques jours plus tôt, la fierté que David avait tout d'abord ressentie en lui révélant la somme qu'il avait gagnée en quelques semaines seulement avait vite cédé la place à une espèce de honte. Celle de savoir qu'il ne pourrait pas soutenir ce rythme indéfiniment et que, finalement, son père avait peut-être raison. C'était un métier idiot, qui ne rapporterait jamais grand-chose.

::

Le père de David avait démontré beaucoup de perspicacité à au moins un autre égard. Ce que David était sur le point de constater, alors que le bus arrivait à l'arrêt où il devait descendre.

Barbara ne lui donnait jamais trop de détails sur les circonstances des engagements qu'elle lui proposait. Un lieu, une heure, le nombre de musiciens, le genre de répertoire et, bien sûr, la tenue vestimentaire, si elle sortait de l'ordinaire.

L'endroit indiqué était un club privé, dans le quartier des affaires. David connaissait l'existence du lieu, mais n'y avait encore jamais mis les pieds.

Il faisait vraiment très froid. Le vent glacial tournoyait sauvagement autour des gratte-ciel du centre-ville, puis s'accélérait en bourrasques en émergeant des couloirs formés par les édifices au garde-à-vous, indifférents à la violence des éléments.

Pour les piétons, c'était autre chose. Le chapeau calé sur les yeux, la tête dans les épaules, chacun à son affaire, luttant pour sa survie en sortant du bureau. Le vent poussait dans le dos ou donnait des gifles au visage, selon qu'on allait ou venait. Personne ne levait les yeux de peur de s'envoler, aveugle aux couleurs de Noël qui décoraient les vitrines depuis quelques semaines déjà.

Le quatuor s'était donné rendez-vous dans le hall. David était le premier arrivé, content de se retrouver à la chaleur, mais un peu gêné tout de même par son déguisement.

Les filles arrivèrent ensemble. Parce que, contrairement aux garçons, les filles ne craignent pas les bagages, elles étaient toutes lourdement chargées de housses et de sacs, en plus de leurs instruments. Plus intelligentes que David, elles avaient prévu se changer sur place et ainsi éviter de parader en courtisanes.

Elles éclatèrent de rire en apercevant David.

Clothilde lui fit la révérence.

— Mon prince charmant ! Enfin, te voilà !

Hilares, Juliette feignit l'évanouissement tandis qu'Annie la recueillait dans ses bras en lui tapotant le visage pour la réanimer.

Leurs éclats de rire attiraient l'attention des invités qui commençaient à arriver.

Le maître d'hôtel accourut et pria les musiciens de faire silence et de le suivre.

Il les fit entrer dans la grande salle à manger. Il leur montra l'endroit où ils devaient s'installer et ils purent enfin déposer leurs instruments. Il leur indiqua ensuite une porte de service qui menait aux vestiaires du personnel, où ils pourraient se changer.

David n'eut besoin que d'une minute pour se délester de son manteau et ajuster sa perruque, du côté des messieurs. Le costumier l'avait obligé à prendre le chapeau qui venait avec l'habit, mais David n'avait aucune intention de le porter. Le galurin ayant un peu mauvaise mine, il prit quelques secondes de plus pour tenter de le défroisser avant de l'accrocher dans sa case avec le reste de ses affaires.

Comme il se contemplait dans le miroir, deux serveurs entrèrent dans le vestiaire. Ce qui prit David un peu par surprise.

Ils le saluèrent.

L'un deux s'approcha.

— T'es un des musiciens ?

Tout nu dans son costume de marquis de Carabas, David pensa à deux ou trois réponses sarcastiques, mais le ton de la question semblant dépourvu de moquerie, il ne répondit que : « Oui, pourquoi ? »

— J'ai vu où ils vous ont installés. Vous ferez attention pendant la soirée. On va passer tout près de vous autres avec de gros plateaux pleins de vaisselle. Si c'est possible, essayez de vous éloigner de la porte des cuisines.

David s'attendait à autre chose. Il eut une seconde de silence dans sa tête, mais il finit par répondre.

— OK. On va faire attention.

— *Good*. Bonne soirée.

— Bonne soirée vous autres aussi.

Le serveur recula d'un pas et regarda David de bas en haut. Il s'avança.

— Je peux ?

Sans attendre la réponse, le serveur saisit délicatement la perruque sur la tête de David, la fit pivoter de cent quatre-vingts degrés sur un axe horizontal et la reposa sur le musicien.

— Je pense que ça va de ce côté-là.

L'autre serveur qui observait la scène acquiesça.

David se retourna vers le miroir. En effet, c'était beaucoup mieux.

— Merci…

— Pas de quoi.

Et ils sortirent.

David passa encore un moment à s'admirer. Il n'avait pas le cœur en joie, mais la perruque et la chemise à jabot lui faisaient quand même une assez jolie gueule.

Il entendit les voix des filles qui s'affairaient dans le vestiaire des dames. Elles semblaient beaucoup s'amuser.

Il sortit dans le couloir pour les attendre.

Lorsqu'elles émergèrent enfin, il fut épaté par leur métamorphose. Elles y avaient mis le paquet.

Les belles robes d'époque, bien sûr, mais la poudre sur leur visage aussi, dont la blancheur faisait ressortir les mouches, coquines, qu'elles avaient dessinées sur leur peau. Annie, sur la lèvre supérieure, Clothilde, sur le rebondi de son décolleté, serré par les lacets de son corset, et Juliette, sur la joue. Elles avaient choisi des perruques plutôt sages, quelques boucles qui encadraient leur visage et qui se terminaient en chignon, retenu par un large ruban de velours de la couleur de leur robe. Un tout petit peu de noir au coin des paupières, un même rouge ambré et profond sur les lèvres. Elles n'étaient pas déguisées. Elles étaient belles. Même Annie. Juliette, évidemment. Mais Clothilde ! Oh là là ! Clothilde…

David eut la soudaine envie de ramener la belle au vestiaire pour lui retrousser les jupes et s'étourdir dans les froufrous.

— Wow ! dit-il.

— Je sais… lui répondit-elle en rosissant.

Mais Annie leur poussait déjà dans le dos en direction de la salle à manger.

— Faut s'installer.

À l'endroit qu'on leur avait indiqué, ils disposèrent les chaises et les lutrins, sortirent leurs instruments et rangèrent leurs étuis.

— On joue quoi ? demanda Juliette.

Annie distribuait déjà les cahiers.

— Essayons de garder ça classique et baroque, si possible. À part les demandes spéciales. Mozart, Haydn, les *Brandebourgeois*… Le *Concerto de Noël* de Corelli, et j'ai des arrangements de chants de Noël à la baroque.

Elle fouilla dans ses partitions.

— *Minuit, chrétiens, Les anges dans nos campagnes, Sainte Nuit, Jingle Bells*…

— Sérieux ? *Jingle Bells* ? demanda Clothilde.

— Oui, regarde l'index. *Le petit renne au nez rouge, Il est né le divin enfant*… Tout est là. C'est un souper de Noël. Des avocats, je pense.

David, occupé à régler la hauteur de son lutrin, releva la tête.

— Quel cabinet, sais-tu ?

— Hum, c'est trois lettres… BBB, non, PBP, BPP…

— PPP ?

— Oui, c'est ça. D'ailleurs regarde, c'est écrit sur les petits cartons sur les tables.

David se leva précipitamment et saisit un des cartons sur la table la plus rapprochée.

— C'est pas vrai…

— Quoi, c'est pas des avocats ? demanda Juliette.

— Proulx Pitre Pratte, c'est le bureau où travaille mon cousin…

— Je comprends pourquoi ils préfèrent juste les initiales, suggéra Juliette.

La difficulté de prononcer d'un trait les noms des trois patrons du cabinet expliquait en partie le choix du logo. Mais on avait semble-t-il aussi décidé d'en tirer avantage en y puisant la philosophie de l'entreprise.

***PPP***
**Proulx Pitre Pratte**
**Avocats**

*Chi va piano va lontano*

Toute la gamme des services juridiques,
au diapason de vos besoins.

Cette philosophie avait l'avantage de se distinguer de celle des autres cabinets qui préféraient s'afficher comme des prédateurs qui abordaient les problèmes toutes griffes dehors. La version anglaise au verso du carton ajoutait cependant un autre éclairage. *Money talks, Wealth whispers,* pouvait-on y lire. À cet égard, le choix du *pianississimo* illustré par le triple « p » prenait là toute sa valeur.

Les musiciens accordèrent leurs instruments puis se mirent en doigts chacun de son côté. David en faisant quelques gammes, Clothilde avec un bout de Beethoven, Juliette, du Lalo et Annie en faisant méthodiquement craquer chacune de ses jointures.

Le maître d'hôtel vint leur signaler qu'on allait ouvrir les portes.

Annie avait décidé d'inaugurer les festivités de grande façon avec un arrangement de *Water Music*, de Haendel.

Même s'ils n'étaient que quatre musiciens et qu'aucun ne jouait de trompette ou de cor français, l'arrangement était assez riche et bien construit pour donner l'impression d'un ensemble beaucoup plus fourni.

Instinctivement, les jeunes interprètes utilisaient tous les ressorts de leur technique pour créer l'impression de cuivres qui résonnent. Une articulation dynamique accentuait les notes syncopées de cette grandiose ouverture, des attaques nettes et des archets rapides se conjuguaient pour parfaire l'illusion.

Juliette, de son côté, puisait dans les profondeurs de son instrument pour assurer la stabilité de cette parade nautique tout en veillant à en soutenir l'élan.

L'effet était remarquable. Les costumes ne nuisaient pas non plus.

Lorsque les musiciens jouèrent la dernière note de l'ouverture, ils furent chaleureusement applaudis par la centaine d'avocats qui avaient entre-temps pris place autour des tables. Ovationnés, en fait, parce qu'une grande partie d'entre eux étaient encore debout à ce moment et profitaient de l'occasion pour siffler et crier des bravos. Pour les jeunes avocats et avocates, il s'agissait aussi d'une façon de démontrer l'ampleur de leur enthousiasme devant leurs patrons et collègues, la survie dans la jungle des cabinets juridiques exigeant qu'on soit compétitifs et dynamiques en toute chose.

C'était du beau monde. Très à l'aise dans leurs complets de belles coupes, leurs tailleurs chics et leurs bouches pleines de dents, rivalisant d'élégance, comme du reste.

David aperçut son cousin François au fond de la salle. Assis avec un groupe de ses collègues, il semblait bien s'amuser. David n'était pas content de le voir là, mais au moins satisfait de l'avoir repéré avant que son cousin ne l'ait fait. Avec son costume et sa perruque, et vu la distance qui les séparait, David avait peut-être une chance d'éviter la rencontre.

Il n'avait pourtant pas à avoir honte, se disait-il, mais la situation ne le mettait pas à l'aise. Pas du tout.

En plus, le cousin François était charmant. Si au moins il avait été idiot, laid ou mal élevé. Mais non. Ça le rendait encore plus détestable. Surtout en présence de Clothilde, dans les circonstances.

Une dame s'approcha de l'estrade non loin des musiciens. Plutôt courte, ses jambes épaisses semblaient avoir été vissées comme de larges pilotis dans ses petites chaussures. Un peu de chair enrobée de nylon miel doré se ratatinait là où aurait dû être la cheville. Elle était vêtue d'un tailleur rouge un peu trop serré sur la taille dont elle était dépourvue, ce qui lui donnait l'allure d'un rôti bien ficelé. Sa silhouette vaguement bovine contrastait beaucoup avec l'élégance des autres femmes dans la salle. Elle vérifia le fonctionnement du micro qu'elle avait dû abaisser à sa hauteur et demanda le silence. On apprit qu'il s'agissait de la directrice des relations publiques de PPP et elle désirait souhaiter la bienvenue à tous.

Mais ce n'était pas tout.

On apprit aussi qu'elle avait été l'instigatrice de la nouvelle signature du cabinet qui évoquait la métaphore musicale de sa gamme de services au diapason des besoins — ou était-ce l'accord des services en harmonie avec le client ? — et elle consacra de très longues minutes à dresser l'historique de sa mission. Elle procéda ensuite à la régurgitation du *Larousse de la musique* et du Code civil qu'elle avait ruminés ensemble pendant de longs mois afin qu'aucun doute sur la finesse des parallèles qu'elle avait trouvés entre ces deux fourrages ne subsiste dans les esprits.

Elle ne manqua pas de souligner la présence des musiciens qui, comme Proulx Pitre Pratte, savaient orchestrer la symphonie de leurs talents afin que leur expertise puisse donner le ton.

Ce n'était pas la première fois que David entendait ce genre de discours dans lequel on tentait de géniale façon de faire des clins d'œil à la musique, mais jamais n'avait-il encore entendu qui que ce soit étirer la sauce de cette façon.

La dame évoqua le doigté avec lequel on traitait les situations délicates, les affaires réglées comme du papier à musique, sans fausse note, bien sûr, et le succès à la clé. Sans tambour ni trompette, le cabinet s'assurait que sa clientèle n'ait pas à jouer les seconds violons, que sous la baguette de la magistrature il saurait faire vibrer l'instrument de la justice au bénéfice du chœur des clients qui entonneraient alors l'hymne à la joie de leur cause gagnée, à défaut de quoi PPP leur proposait une variation de leur programme d'assurance mélodie.

On l'applaudit poliment, sans plus.

On put reprendre la musique. Le répertoire semblait ravir tout le monde, qui ne se gênait pas pour manifester son appréciation.

D'autres orateurs se succédèrent au micro au cours de la soirée. Mais au moins ces gens-là, dont le verbe était le métier, savaient s'exprimer.

Les décibels des conversations montaient à mesure que le vin coulait, à telle enseigne que les musiciens commençaient à éprouver des difficultés à s'entendre.

Annie décréta une pause et le quatuor se retira du côté des cuisines pour quelques minutes.

On leur servit de jolies choses à manger, et tous, même David, s'entendaient pour dire qu'il s'agissait là d'une bien belle soirée.

Les serveurs allaient et venaient par les grandes portes battantes qui donnaient sur la salle à manger. La clameur de la fête se faufilait alors dans l'ouverture comme une rafale, dominant pendant une seconde le tumulte de la cuisine qui reprenait ses droits dès que la porte se refermait.

— Ça fête fort, les avocats! constata Clothilde.

Comme les musiciens achevaient leur collation, la porte s'ouvrit de nouveau pour laisser entrer un serveur chargé d'un grand plateau rempli de vaisselle. La manœuvre était délicate et le jeune homme prit un moment pour s'assurer que la porte ne se refermerait pas sur lui et son lourd fardeau. À la faveur de cette ouverture prolongée, les musiciens purent distinguer des sons étranges qui se mêlaient au bruit provenant des festivités de l'autre côté.

Juliette se leva d'un coup sec.

— Est-ce que j'ai bien entendu?

Les quatre, qui avaient tous entendu la même chose, se précipitèrent dans la salle à manger.

Ils virent tout d'abord une dizaine de personnes attroupées là où ils avaient joué. Plusieurs avaient un verre à la main et riaient beaucoup. En s'approchant davantage, David constata que des gens, trois hommes et une femme, s'étaient emparés de leurs instruments et faisaient semblant d'en jouer. Armé d'une fourchette, un autre pitre, ou était-ce un Pratte, s'amusait à diriger cet orchestre ridicule. Mais ils ne faisaient pas que semblant. La jeune femme qui avait pris la place et le violoncelle de Juliette frottait l'archet sur les cordes, de toutes ses forces, semblait-il, faisant des grimaces et des contorsions pour ajouter de l'effet. Les autres faisaient la petite bouche en cul-de-poule tout en gesticulant maladroitement avec les archets sur les cordes, produisant toutes sortes de grincements pitoyables. On s'amusait ferme.

L'arrivée des vrais musiciens ne sembla pas ralentir les ardeurs du groupe, au contraire.

Peut-être croyaient-ils qu'il s'agissait là d'un hommage.

En tout cas, ils étaient tout à fait convaincus de leur drôlerie et de leur talent de comédien. Peu importe ce que les autres pouvaient en penser.

Fâchée, Annie tenta de reprendre son instrument des mains d'un des clowns. Celui-ci l'esquiva en souriant, l'air de dire: « Relaxe, tu vois bien qu'on s'amuse ! »

Le cousin François était du groupe des spectateurs. Il s'approcha de David.

— Salut ! Je me disais que je t'avais reconnu. Désolé. J'espère que ça ne vous dérange pas trop. C'est Rochette qui a commencé ça. Le gars avec ton violon, là. Il est saoul.

— Est-ce qu'il serait pas un peu trou de cul aussi ?

— Oui. Tout à fait. Mais c'est mon *boss*.

Sous sa perruque, David bouillait.

— Et la connasse en train de briser le violoncelle de Juliette, est-ce que c'est ta *boss* aussi ?

François vit la mine atterrée des trois musiciennes qui assistaient impuissantes à la mascarade. C'était devenu grotesque. Tout à coup, il n'était plus très fier de ses collègues.

— Pardon. T'as raison.

François fit un pas vers le « chef d'orchestre ».

— OK, OK... Je pense qu'on peut laisser les vrais musiciens...

Rochette l'interrompit.

— Ho, ho, mon Frank ! T'aimes pas ma musique ?

Il s'était levé, le violon à la main, l'air menaçant. Il se dirigeait vers François. Il lui tendit l'instrument.

— Veux-tu nous jouer quelque chose ?

David s'interposa pour reprendre son violon.

Rochette se tourna vers lui.

— Ah, c'est à vous, ça, monsieur Mozart ? Excusez-moi. Le voici.

Il lui donna le violon et l'archet sans égards. L'avocat au tempérament volatile était passablement éméché.

Voyant la rage dans le regard de David, Clothilde crut bon d'intervenir. Elle se mit à applaudir.

— Maîtres, Maîtres, votre concert était magnifique, n'est-ce pas les amis ?

Elle sollicita les applaudissements de la petite assemblée qui s'était formée.

— Franchement, c'était super. Bravo !

Sous les applaudissements, les faux musiciens se levèrent et firent de grands saluts.

— Super ! Super ! Bravo !

Clothilde s'approcha de la fille qui avait le violoncelle de Juliette à la main.

— OK ! Maintenant, pour vous remercier de votre beau concert, nous aimerions vous jouer quelque chose de spécial, juste pour vous, si vous voulez bien nous redonner nos instruments...

Maître Rochette fit comme s'il s'agissait de sa propre initiative et ordonna à tout le monde de retourner à sa table.

— Marie-Ève, lâche son violoncelle et redonne-le-lui. Toi aussi, Morency. Prends ton verre et redonne-lui son violon à la demoiselle. On va aller les écouter.

Les musiciens purent enfin regagner leur place. On les vit ajuster leur lutrin, accorder leurs instruments et mettre de l'ordre dans leurs partitions. Ils devaient tous être un peu enrhumés, car ils toussaient beaucoup.

C'est que sous prétexte de se racler la gorge, les musiciens se défoulaient un peu, histoire d'exorciser l'incident.

— Humm humm… poufiasse, dit Clothilde en tendant son archet.

— Atchoum… culé, éternua David.

— Fausse blonde, souria Juliette en remontant son lutrin.

— Petite bite, fit Annie, entre ses dents.

— Ahem… font chier…, enchaîna Clothilde.

Mais toutes les insultes du monde ne pouvaient effacer le malaise qu'ils partageaient.

Annie fouillait dans ses partitions. Elle ne savait trop avec quoi enchaîner.

— Un truc de Noël ? Quelque chose de gai ?

Elle consulta les autres.

— Qu'est-ce qu'on devrait jouer ?

Juliette et Clothilde y allèrent de leurs suggestions.

— Un tango ?

— *Petit papa Noël* ?

— Toi, David, qu'est-ce que tu penses ?

Il semblait perdu dans ses pensées.

Il releva la tête. Il avait les yeux dans l'eau.

— Faisons le Corelli. Le mouvement lent. Juste pour nous, OK ? Qu'ils mangent de la marde.

Il avait parlé sans méchanceté, avec douceur, même.

Il prit une grande respiration et, à son signal, ils se mirent en route.

Ils jouaient tout doux, tout doux. *Ppp*.

Et ce mouvement du *Concerto de Noël* appelait au recueillement.

L'émotion que les filles avaient lue dans les yeux de leur premier violon avait aussi donné le ton. On le sentait bien en les écoutant.

Peut-être à cause de ce qu'ils avaient subi ensemble un peu plus tôt, l'intimité qui les unissait maintenant était palpable. On se serait presque senti de trop. Aux oreilles de ceux qui les écoutaient, cela se traduisait en un moment privilégié de communion musicale.

Bien que le quatuor ait tout d'abord été enterré par le bruit ambiant, on entendit éventuellement des « chut ! » ici et là, qui demandaient le silence. Dans l'espoir de ne rien manquer de l'événement. Car c'en était un.

Bientôt, on n'entendit plus que la musique de Corelli. Digne, sereine. Une joie brillante. Un écrin de quiétude.

Capable de fermer la gueule à une centaine d'avocats en état d'ébriété.

Un miracle de Noël.

## CHAPITRE 11

Barbara Greenberg se doutait bien que cela arriverait tôt ou tard, mais elle rouspéta tout de même, pour la forme.

David ne voulait plus se déguiser. Il porterait le smoking ou la redingote lorsque nécessaire, mais les collants, les plumes, les perruques et les chapeaux, c'était fini.

Il avait sa fierté, disait-il.

La remarque avait fait sourire Barbara.

Si ces jeunes tenaient tant à leur fierté, pourquoi avaient-ils choisi de devenir musiciens ?

Cela dit, elle et son mari avaient toujours laissé leurs propres enfants tout à fait libres de décider de leur avenir. Ils se targuaient de cette approche libérale. Le fait que le fils avait choisi de devenir avocat et la fille, médecin leur avait cependant évité de tester par le feu la noblesse de leur philosophie parentale. Leurs enfants avaient étudié le piano, comme il se doit, mais ils avaient su s'arrêter à temps. Les compétitions de ski, d'escrime et de natation avaient graduellement pris le dessus. Les bons collèges et les bonnes fréquentations s'étaient occupés du reste.

Barbara ne l'aurait avoué à personne, mais elle aurait plus facilement accepté que son fils soit homosexuel que de le savoir musicien. Homosexuel, cela pouvait même faire assez chic dans les bonnes circonstances. Musicien, c'était assez difficile à expliquer aux amis.

Mais elle était maintenant hors de danger, d'une façon comme d'une autre.

Ses enfants, comme leurs parents, seraient éventuellement abonnés aux concerts de l'orchestre symphonique, ils iraient au théâtre et peut-être même à l'opéra. Ils fréquenteraient les meilleurs restaurants et seraient courtois avec les serveurs, parce qu'ils étaient bien élevés.

Il fallait bien un public pour les orchestres et des clients pour les restaurants. Les mécènes continueraient à soutenir la culture ; un bien si précieux qu'à son avis il valait mieux ne pas la laisser entre les mains des artistes. Elle n'avait peut-être pas tort à cet égard.

David ne serait pas difficile à remplacer. La « faim » justifie tous les moyens, et c'est Barbara qui avait la clé du réfrigérateur.

Par gentillesse, elle lui promit de nouveaux engagements plus à son goût. Par politesse, il lui dit toute sa reconnaissance. Mais autant Barbara ne comptait nullement faire des acrobaties pour accommoder le jeune violoniste, autant David ne se berçait pas d'illusions quant à la suite des événements.

Ils se souhaitèrent de joyeuses fêtes, pour ne pas s'empêtrer dans les nuances de Noël et de Hanoukka, et raccrochèrent le téléphone.

: :

La soirée chez les avocats avait probablement été le point de bascule dans la décision de David, mais au moins un autre événement d'importance avait aussi pesé dans la balance.

Clothilde avait dû insister, parce que David ne tenait pas du tout à retourner chez Robert Dubreuil.

Jasmine lui faisait peur.

David n'avait jamais été très à l'aise avec les gens incohérents. Ça le déroutait complètement. Il enviait la facilité avec laquelle Clothilde et Juliette avaient embrassé la situation lorsqu'ils avaient rencontré Robert et sa mère quelques semaines auparavant. Pour sa part, David était déjà assez embêté par Robert — qu'il n'arrivait pas à déchiffrer — que les étranges comportements de sa mère ne faisaient qu'ajouter à son malaise. Contrairement à ce qu'on pourrait penser, les musiciens sont souvent des gens plutôt rangés. C'est en tous cas ce que David avait observé. La rigoureuse discipline que nécessite la maîtrise d'un instrument fait en sorte que, sur le spectre artistique, entre le modeste artisan appliqué et concentré sur son métier et, à l'autre extrémité, l'artiste fou qui improvise sa vie au gré de ses émotions, les musiciens tendent souvent à se retrouver davantage du côté des artisans. Peut-être que l'instrument de bois ou de métal qu'ils tiennent entre leurs mains et dont leur survie dépend est un constant rappel des limites de leur propre génie. Peut-être ne sont-ils eux-mêmes qu'une variable dans cette équation, un simple engrenage de l'outil. À l'autre bout du spectre, là où on peint avec ses excréments en criant l'annuaire du téléphone, les vrais musiciens se faisaient rares.

Au cours de ses études et de sa jeune carrière musicale, David avait bien sûr côtoyé toutes sortes de rigolos. Des contrebassistes à l'humour déstabilisant, quelques altistes déjantés et au moins une clarinettiste complètement zinzin. Sauf que, peu importe l'altitude à laquelle ses collègues plus fous que lui semblaient parfois évoluer, il demeure que l'exigence de la partition, l'habileté nécessaire à rendre celle-ci de façon adéquate, sans compter les attentes du public, tissaient ensemble une amarre qui les gardait toujours en contact avec la terre ferme. Ce cordon rompu, il n'y avait plus de musique possible. Pas comme interprète, certainement.

C'est donc armé de cette certitude et chargé de ses appréhensions que David était entré chez les Dubreuil, chez qui Clothilde l'avait plus ou moins traîné.

Depuis le premier coup de fil de Robert à Clothilde, plusieurs tentatives de rendez-vous avaient échoué.

Tout d'abord, ce que Robert suggérait n'était pas très clair. Il voulait les inviter chez lui parce qu'il avait quelque chose à leur proposer, avait-il commencé par expliquer.

Au début, les horaires de Clothilde et de David ne s'y prêtaient pas. Ensuite, David se faisait tirer l'oreille.

— Qu'est-ce que ça veut dire « quelque chose à nous proposer » ?

À l'occasion d'une autre tentative, Robert avait été plus loquace.

Il voulait les inviter pour faire de la musique. Pour sa mère, qui en avait tant besoin. Et lui ne pouvait toujours pas se servir de son violon.

C'était bientôt Noël, on pourrait faire un repas, aussi.

Cet argument avait convaincu Clothilde d'accepter. Noël. Des musiciens tout seuls. Ce serait gentil d'aller les voir.

La vérité était un peu plus complexe.

Il est vrai que Robert n'était tout simplement plus capable d'entendre Jasmine jouer les mêmes pièces en boucle. Il demeurait toutefois très étonné qu'elle joue encore si bien.

La maladie de Jasmine avait beau continuer à débrancher un à un les circuits de la machine, les systèmes vitaux ne semblaient pas encore avoir été touchés. Et il faut croire que les apprentissages et les réflexes musicaux de la pianiste étaient si intimement liés à sa fibre même que Jasmine cesserait sans doute de marcher ou de parler bien avant de ne plus pouvoir jouer une note de piano.

Cela dit, il apparaissait de plus en plus évident que le circuit chargé du choix du répertoire montrait des signes de rupture imminente.

Elle pigeait dans la pile de partitions et feuilletait les cahiers qu'elle y trouvait jusqu'à ce que — nul n'aurait pu dire comment ou pourquoi — elle retrouve celui qu'elle reconnaissait.

Robert avait beau mélanger les cahiers ou même en cacher quelques-uns, Jasmine finissait toujours par trouver ce qu'elle cherchait ou se mettait en colère si elle ne le trouvait plus. Elle virait alors la maison sens dessus dessous en vociférant jusqu'à que Robert intervienne. Ses colères étaient quotidiennes.

Jasmine reconnaissait de moins en moins son fils et le prenait parfois pour un voleur ou un ancien amant qui surgissait de son passé pour l'embêter.

Depuis le premier incident qui avait causé ses blessures, Robert avait pris soin de ranger tous les couteaux de la cuisine en lieu sûr. Mais il fallait quand même qu'ils mangent, et son système n'était pas sans failles. Jasmine avait pris la mauvaise habitude de dissimuler les ustensiles ou quelque autre objet potentiellement menaçant dans son sac à main qui ne la quittait jamais, même dans son lit.

C'est ainsi qu'à l'occasion d'une de ses colères elle avait sorti de son petit sac noir un tournevis pour attaquer le fantôme qui avait encore joué dans ses partitions.

Robert avait esquivé le coup et avait eu le temps de trouver la partition désirée avant que Jasmine ne le menace de nouveau. Heureusement, la mémoire à court terme de Jasmine était si fragile qu'il devenait de plus en plus aisé pour Robert de créer une diversion lorsqu'un déraillement était sur le point de survenir, afin d'aiguiller sa mère sur un nouveau parcours. La diversion n'était jamais aussi efficace que lorsqu'elle impliquait la musique. En jouer. En écouter. En parler.

Robert avait développé ce réflexe tout jeune pour capter l'attention de Jasmine. Lorsqu'il était devenu invisible aux yeux de sa mère, lorsqu'il la sentait aveuglée par ses amours décousues, paralysée par son désespoir ou possédée par ses terribles colères, il sortait son violon. Du fond de sa chambre, Robert jouait quelque chose. Souvent, c'était la *Sonate du Printemps*, de Beethoven ; parfois, d'autre chose.

Il en était venu à développer un vocabulaire particulier selon la situation. Les pleurs dans la pièce voisine appelaient Bach, les casseroles qui revolaient commandaient Schubert. Si un amant était en visite et que Robert espérait retrouver sa mère, il devait faire preuve de virtuosité : *Symphonie espagnole* de Lalo, *Polonaise brillante* de Wieniawski ou, dans les cas extrêmes, Paganini.

Et ça fonctionnait. Au bout de quelques mesures ou de quelques pages, Jasmine sortait de sa torpeur, interrompait sa colère ou mettait le visiteur à la porte et venait embrasser son fils.

Puis, même à deux heures du matin, ils faisaient de la musique. Elle, le maquillage encore dégoulinant sur ses joues ; lui, en pyjama.

Mais ça ne marchait pas toujours.

Une nuit, on avait frappé à la porte de l'appartement. Robert s'était réveillé et avait entendu Jasmine discuter avec un homme. Il lui demandait de venir avec lui. Elle protestait, mais riait aussi.

Robert avait appelé.

— Maman ? Maman ?

Les chuchotements et les rires étouffés avaient continué.

Robert avait ouvert la porte de sa chambre pour voir ce qui se passait. Par l'embrasure, il avait vu un homme qui fumait dans la pénombre, assis sur le canapé. Il avait gardé son manteau.

Robert avait entendu Jasmine dans la salle de bain.

Il était sorti de sa chambre pour aller retrouver sa mère.

Elle venait d'enfiler sa robe bleue, la fermeture éclair dans son dos était entrouverte. Robert apercevait la bretelle du soutien-gorge alors que Jasmine se penchait vers le miroir au-dessus du lavabo pour appliquer du rouge sur ses lèvres.

Avant qu'il puisse dire un mot, Jasmine avait levé la tête, comme pour s'adresser au miroir.

— Ça ne sera pas long. Encore deux minutes. J'arrive…

Sa mère s'apprêtait à sortir. En pleine nuit. Avec ce bonhomme qui fumait dans le salon.

Jasmine avait vu Robert dans le miroir. Elle s'était retournée.

— Qu'est-ce que tu fais là, toi ? Va te coucher, il est tard !

— Tu ne vas pas sortir ?

— Oui, oui, mon lapin, mais pas longtemps. Je serai là quand tu te réveilleras.

— Je ne veux pas que tu sortes !

Jasmine avait haussé le ton.

— Ne fais pas le bébé, Robert. Tu es assez grand pour dormir tout seul, franchement.

Robert était vite retourné dans sa chambre.

Il s'était emparé de son violon et s'était mis à jouer. Des gammes et des arpèges. À tue-tête.

— Robert, arrête ton manège, va te coucher.

Le garçon avait plutôt redoublé d'ardeur. Plus vite, plus fort, pour enterrer la voix de sa mère qui le grondait, de l'autre côté de la porte.

Plus vite, plus fort.

« Clac ! »

La porte de l'entrée venait de se refermer. Robert avait entendu les pas dans l'escalier.

Il avait couru à la fenêtre.

Ils entraient dans une voiture.

« Clac ! »

« Clac ! »

« Vroum ! »

C'est ainsi que, quarante années plus tard, Robert se tapait des journées et des soirées entières de la même œuvre de Liszt ou de Chopin, sans arrêt, pour que Jasmine reste encore un peu.

En invitant David et Clothilde à la maison, Robert espérait varier le répertoire de ses longues journées. Il savait que Jasmine serait folle de joie.

Puis, une idée lui était venue. Il se doutait bien que les deux jeunes avaient probablement mieux à faire que de venir les distraire, lui et sa vieille maman. Il voulait leur donner quelque chose en échange. Un coup de pouce.

Il y aurait des auditions pour le remplacer à l'orchestre, au moins pendant le reste de la saison et peut-être au début de la prochaine.

S'agirait-il d'un poste de surnuméraire ou d'un nouveau poste permanent afin de donner plus de corps à la section des seconds violons? On n'en était pas encore sûr. On hésitait donc avant de faire l'annonce et de solliciter des candidats.

L'orchestre l'avait toujours traité correctement, mais, avec les années, Robert sentait qu'il était peu à peu devenu invisible. Il faisait partie des meubles; un accessoire au même titre que sa chaise de second violon et son lutrin, que les appariteurs déployaient pour les répétitions et les concerts et qu'ils rangeaient tout de suite après.

Sa voix n'était utile que dans la mesure où elle se fondait dans celle de l'orchestre. Autrement, on ne l'entendait jamais.

Et c'était tant mieux, parce que Robert en contrôlait mal le ton et la portée.

Il aurait fallu une oreille bien spéciale pour discerner les sons de sa musique à travers le bruit de ses maladresses; une antenne affûtée qui aurait su capter la richesse de ce signal singulier malgré les interférences de l'étrange personnalité qui faisait écran.

Il aurait voulu crier. Pourtant, quelque chose au fond de lui savait qu'il ne saurait jamais crier par-dessus tous ces hurlements de détresse qui avaient assourdi son enfance. Rien ne pouvait égaler le tonnerre des crises de Jasmine. C'était un idéal absolu. On ne pouvait que s'incliner. Jamais terreur ne saurait être aussi totale. Aucun abandon aussi parfait.

Pourquoi lutter?

Cela dit, aussi terribles qu'aient pu être les tempêtes au milieu desquelles il avait grandi, ces grands dérangements constituaient aussi un terrain familier, son noyau, en quelque sorte.

Comme dans les meilleurs moments de son enfance, alors que le petit Robert avait aimé à se retrouver sous le piano de sa mère pendant qu'elle en jouait, afin d'en ressentir les formidables vibrations, le Robert adulte avait trouvé le même réconfort dans les tréfonds de l'orchestre.

Comme simple spectateur d'un concert symphonique, on ne se doute pas de la puissance qui se dégage de la machine orchestrale lorsqu'on loge en son sein. Les planches de la scène qui tremblent lorsque les contrebasses et les violoncelles communiquent leurs ténébreuses fréquences au sol même où se piquent leurs instruments comme autant de paratonnerres. La multitude des violons et des altos qui vrombissent de partout, comme un essaim, dense, militaire. Les éclairs aveuglants des cuivres, les détonations des timbales qui rentrent dans le ventre, les appels stridents des flûtes… Puis, le chant d'un basson, d'un hautbois, d'une clarinette, qui émerge, au-dessus, ou se fraie un chemin à travers. Les musiciens autour en sont les premiers témoins, participent au même effort, lui cèdent la parole…

Même si le répertoire n'est évidemment pas fait que de ces magnifiques cathédrales que sont les symphonies de Beethoven, celles de Mahler ou de Tchaïkovski, Robert se frottait toujours les mains à la perspective de faire beaucoup de bruit. C'était la possibilité d'un abandon momentané, de laisser aller son cri sans craindre d'entendre sa colère, de s'en dégager de façon anonyme, à l'insu de tous, même de soi-même, comme on se débarrasserait d'un grand verre d'eau sale qu'on ne savait où poser, à l'occasion d'un tsunami opportun.

À défaut de se défouler de cette façon avant un bon moment, il avait songé à une autre manière de se manifester.

Comme on ne l'entendait plus, que sa voix n'existait plus, il choisirait celui ou celle qui le remplacerait. Il ne disparaîtrait pas complètement. Il agirait sur les choses. Il en changerait le cours. Pensait-il. Robert croyait que c'était important.

C'était aussi bien naïf. Comme s'il pouvait vraiment faire un mauvais coup. Comme s'il s'agissait là d'une quelconque vengeance dont quelqu'un aurait véritablement à pâtir.

Il était conscient de tout cela, mais son plan, finalement bien innocent, lui donnait l'impression d'exister, ne serait-ce qu'un tout petit peu.

Et puis, il y avait Juliette.

Depuis le soir de sa découverte, Robert était devenu un assidu des séances de Yoyomaiden. Il prenait toujours un plaisir immense à la voir et à l'entendre, mais il goûtait moins les commentaires de son auditoire de messieurs déculottés. On voulait toujours en voir davantage. Certains se plaignaient qu'elle ne joue pas plutôt de la flûte, ce qui leur aurait donné une meilleure vue sur l'anatomie de la musicienne. On lui suggérait des positions farfelues, des gestes intimes, des actes répréhensibles. C'était sans doute de bonne guerre sur un site comme celui-là, mais Robert déplorait par-dessus tout le manque de culture musicale de tous ces bonshommes.

Certains faisaient les intéressants, mentionnaient des noms qu'ils avaient appris — Pablo Casals, Ravel ou même Rostropovitch —, mais la suite de leur discours montrait vite la limite de leur science, sinon une certaine habileté à répéter ce qu'ils venaient de lire sur Wikipédia. D'autres étaient tout fiers d'avoir trouvé la connexion entre le nom de plume de la belle et un certain violoncelliste japonais. Tous cherchaient une brèche pour se montrer sous un jour particulier, se distinguer de la masse, comme autant de spermatozoïdes grouillant autour de l'ovule.

Les plus malins faisaient semblant d'apprécier la musique, mais ils réclamaient toujours la même pièce que Yoyomaiden avait jouée cent fois, comme autant de petits garçons réclamant la même sempiternelle histoire avant le dodo.

Après quelques semaines, Robert en eut un soir suffisamment assez pour qu'il décide d'intervenir. Pour ce faire, il devait créer un profil et s'inventer un pseudonyme. Il choisit celui de ClaraWieck, qui lui sembla assez éloigné de son vrai nom pour qu'on ne le reconnaisse pas, mais dont la référence à l'épouse de Robert Schumann se rapprochait assez de sa véritable identité pour qu'il s'en souvienne facilement, tout en faisant un clin d'œil opportun à la musicologie. Un nom de femme, en plus, faciliterait sans doute les rapports tout en brouillant davantage les cartes. Il aurait bien pu choisir Mamelon69 ou Superprostate comme tout le monde, mais comme dans toute chose simple, Robert avait fait compliqué, et différent.

Ses premières interventions furent tout de suite décriées par le reste de la meute. Parce qu'il posait des questions très précises sur le choix de doigté de Yoyomaiden, parce qu'il commentait gentiment le phrasé, faisant référence aux coups d'archet proposés dans la partition — qu'il avait sous les yeux —, parce qu'il faisait des liens avec d'autres œuvres du même compositeur ou celles de ses contemporains, parce qu'il posait des questions très fines sur les influences de l'interprète, parce qu'il — disons-le comme ça — faisait chier tout le monde.

Même monsieur Nakamura, dans son bureau de Tokyo, se demandait qui pouvait bien être cet hurluberlu.

Les insultes volaient. Dans le salon de clavardage, l'humeur se dégradait à vue d'œil. Les participants réclamaient en majuscules que Yoyomaiden bannisse l'intrus ou ils quittaient le site, tout simplement.

Tout cela n'était pas très bon pour les affaires de Juliette.

Tout de même intriguée, et finalement assez flattée qu'on s'intéresse de la sorte à sa musique, elle invita ClaraWieck à lui envoyer des messages privés plutôt que de discuter en public.

Le geste eut tout d'abord l'effet de ramener l'harmonie. Yoyomaiden eut aussi la géniale idée de présenter son postérieur à la caméra alors qu'elle déposait son violoncelle par terre. La manœuvre prit beaucoup plus de temps que nécessaire. Elle était nue. On vit tout tout tout. Le spectacle était aussi inattendu que de toute beauté. Et le calme revint sur toute la planète.

Mais comme on l'avait invitée à le faire et que ClaraWieck continuait sa conversation avec Yoyomaiden au moyen de messages privés, Juliette interrompait constamment son spectacle pour répondre à Robert ou pour lui poser des questions.

L'assemblée de voyeurs en eut bientôt marre de toutes ces interruptions pendant lesquelles on ne voyait que le dessus de la tête de Yoyomaiden penchée sur son clavier pour entretenir une conversation avec ClaraWieck. Ils manifestèrent leur mécontentement avec une telle vigueur que Juliette dut proposer à ClaraWieck de continuer leur entretien hors des séances publiques.

Clara et Yoyomaiden commencèrent ainsi à s'écrire régulièrement, toujours en passant par le site, cependant, ce qui en principe protégeait leur véritable identité.

C'est ainsi que, de fil en aiguille, Juliette apprit que sa correspondante était violoniste. Cette Clara semblait par ailleurs dotée d'une oreille fort aiguisée, qui savait distinguer, semblait-il, la nuance entre le *la* 440 communément utilisé et celui qui vibrait plutôt à 441 vibrations par seconde, que Clara préférait, pour toutes sortes de raisons qu'elle lui expliqua en détail.

Juliette prenait plaisir à ces conversations. Dans son esprit, son interlocutrice ne pouvait être autre chose qu'un homme, malgré le pseudonyme féminin. C'était un homme, sans doute, mais à en juger par ses propos, un homme passablement différent de ceux qui l'admiraient sur son site. C'était un musicien, très certainement, et pas seulement un mélomane qui se serait fait passer pour un instrumentiste. Plusieurs signes ne trompaient pas. On ne pouvait parler de la musique de façon si intime, de l'intérieur, sans avoir soi-même fait le voyage.

Il avait un humour un peu déconcertant, son bonhomme. Il était plutôt touchant. Bienveillant. Candide. Jamais il ne faisait allusion aux séances de déshabillage que Yoyomaiden continuait à donner, mais auxquelles Robert n'assistait plus, si ce n'est que pour évoquer telle pièce qu'elle avait alors interprétée et l'impression qu'il en avait eue.

Après quelques jours de ce dialogue, Juliette se surprit à espérer le moment du prochain échange.

De son côté, Robert appréciait l'anonymat que lui procurait la situation. C'est finalement en se faisant passer pour un autre qu'il pouvait enfin être lui-même. Malgré la vie difficile qu'il menait ces jours-ci là avec ses blessures, la folie de sa mère et l'arrêt de travail forcé, ses discussions avec Juliette lui permettaient de garder la tête un peu hors de l'eau. Aussi prenait-il grand soin de ne pas lui révéler sa véritable identité, de peur que l'oasis s'évapore comme un mirage.

Mais c'était sans compter l'impressionnante pointure des sabots dont la nature l'avait chaussé pour danser un si délicat ballet. Tôt ou tard, il tomberait. C'était inévitable.

Et il ne s'en aperçut même pas.

Sans le savoir, Robert semait derrière lui les indices comme une ménagère unijambiste remontant l'escalier chargée d'une ambitieuse brassée de linge, les chaussettes.

Au fil de leurs échanges, Juliette comprit peu à peu que ce violoniste à l'oreille sûre habitait dans le même fuseau horaire qu'elle, qu'il jouait dans un orchestre, qu'il devait avoir autour de cinquante ans et que sa mère était malade.

Jusque-là, cela pouvait encore être n'importe qui.

Or, lorsque ClaraWieck se vanta un jour de pouvoir jouer par cœur toutes les sonates de Beethoven, Juliette n'eut plus de doute.

Elle choisit de ne pas le confronter avec sa découverte. Le charme aurait été rompu. Et puis, pour elle, ça ne changeait rien. En fait, cela lui plaisait assez de savoir qu'il s'agissait de Robert Dubreuil. C'était peut-être un curieux oiseau, mais elle se voyait elle-même comme un volatile finalement assez peu commun.

Aussi accepta-t-elle sans hésiter lorsque Clothilde lui proposa de l'accompagner, avec David, chez les Dubreuil.

— Je pense que Robert aimerait bien que tu sois là. Il m'a demandé si notre amie violoncelliste voudrait bien se joindre à nous, « ça ferait tant plaisir à maman ».

— Il a dit ça ?

— Il a vraiment dit ça ! Il est mignon, non ?

— Peut-être qu'on pourra jouer du Schumann ?

# CHAPITRE 12

*In modo d'una marcia*. C'est ce qu'indique la partition du deuxième mouvement du *Quintette avec piano en mi bémol majeur* de Schumann.

À la mode martienne, donc.

Pour David, en tous cas, l'expérience tenait davantage de la rencontre du troisième type que du simple rendez-vous musical que Clothilde avait évoqué pour l'entraîner chez les Dubreuil.

D'ailleurs, malgré l'indication, ce mouvement n'avait rien d'une marche. En dépit de son aversion pour l'anecdote, David ne pouvait s'empêcher d'entendre les pas hésitants d'un cambrioleur qui, le dos collé à la paroi, avance à tâtons sur l'étroite corniche d'un édifice de quarante étages en faisant de son mieux pour ne pas tomber. Comment s'était-il retrouvé là ? Schumann ne le dit pas. Le malfaiteur tentait de trouver une fenêtre ouverte pour entrer. Un pied. L'autre pied. Arrête. Vérifie la fenêtre. Merde, fermée. On continue. Faut pas regarder en bas. Un pas. Un autre pas. On s'agrippe au mur. On souffle un peu. Encore fermée.

Plus loin, l'intrus, poussé par les remords que lui causaient ses sombres desseins, se jetait dans le vide. Mais, à la faveur d'un vent miséricordieux, plutôt que de s'écraser au sol, il se trouvait soulevé dans les airs et flottait maintenant au-dessus de la ville endormie. Il profitait de ce sursis pour contempler dans son esprit la série de mauvaises décisions qui l'avaient conduit jusque-là.

Si David s'amusait ainsi à imaginer des scénarios loufoques sur la musique de Schumann, c'était pour tenter de fuir mentalement l'inconfortable corniche où on l'avait lui-même parachuté.

Et il avait le vertige.

C'est Jasmine qui les avait accueillis.

Elle avait un air terrible. La crinière en bataille, un tournevis à la main, pieds nus. David ne pouvait croire que cette dame en chemise de nuit blanche, qui le dévisageait de ce regard dont on n'aurait pu dire s'il était celui d'une enfant terrifiée ou d'un ogre affamé, était bien la même femme, folle sans doute, mais si belle, qu'il avait rencontrée quelques semaines auparavant.

*Music for a while* de Purcell jouait, justement. Un peu trop fort.

Justement, car c'était bien Alecto, aux cheveux de serpent et le fouet à la main, qu'ils avaient devant eux. Seule la musique saurait l'apaiser.

Heureusement, ils étaient là pour ça.

Jasmine aperçut Juliette. Son visage s'illumina. Elle laissa tomber le tournevis.

*Drop, drop, drop, drop, drop, drop…*

« Étoile », remarqua David.

Ils étaient venus à quatre, pour toutes sortes de raisons.

David et Clothilde étaient bien sûr invités, mais, comme on le sait, on avait aussi formulé le désir de la présence de Juliette. Juliette espérait jouer le quintette de Schumann, et ça prenait un alto. Et en plus, Annie avait une voiture.

Ce sont souvent les altistes qui ont une voiture, sans quoi ils n'auraient peut-être pas d'amis.

David était trop occupé à gérer son propre malaise pour tenter de réconforter Annie, à qui on avait donné bien peu d'explications sur ce qui l'attendait et qui devait certainement, comme lui, être bien étonnée.

Elle était étonnée, en effet, mais quand finalement elle avait vu la furie qui leur ouvrait la porte sourire à Juliette, son étonnement avait disparu.

— Maman, maman ! Calme-toi, je l'ai trouvée !

Avec le Purcell qui jouait pendant qu'il fouillait dans les partitions pour retrouver celle qu'il avait cachée et que Jasmine cherchait, Robert n'avait pas entendu sonner.

Il avait encore les deux mains pleines de bandages.

Quand il arriva au salon et qu'il vit Juliette, la partition qu'il tenait pincée entre le bout de deux doigts qui dépassaient de son plâtre, tomba à ses pieds.

En se dirigeant vers Juliette, il glissa sur la feuille, perdit l'équilibre un instant, tenta d'éviter la chute, ce faisant, cogna durement une de ses mains blessées sur le mur, poussa un cri de douleur, et continua sa course jusque dans les bras de la jeune violoncelliste.

— Bonjour, Robert, dit-elle en profitant de l'accolade forcée pour l'embrasser.

Tant de maladresse la séduisait.

Elle portait en elle les confidences de ClaraWieck. Elle était émue « la » toucher, pour la première fois.

Les filles avaient apporté plein de bonnes choses à manger. Des viandes froides, du vin, des fromages, du pain, des fruits, une tarte au citron que Clothilde avait elle-même cuisinée et trois douzaines de délicates huîtres japonaises à la jolie coquille frisée que Juliette était allée quérir le matin même chez le poissonnier.

David, lui, était chargé des instruments de tout le monde.

Il déposa le tout à proximité du Bösendorfer.

Robert aida tant bien que mal — surtout mal — les filles à se défaire de leurs paquets à la cuisine, puis les invita ensuite gentiment à déposer leurs bottes, leurs manteaux et leurs chapeaux n'importe où. Clothilde se chargea de ranger tout le bordel dans le vestibule.

Jasmine avait disparu pendant un moment. Elle était allée se faire une beauté.

Quand elle réapparut, elle avait l'air d'un clown. Comme une enfant qui venait de découvrir la trousse de maquillage de sa maman, elle s'en était mise partout. Beaucoup, aussi. Elle avait déniché, dans le fond de sa garde-robe, ce qui devait être une vieille robe de bal, au décolleté plongeant. Jasmine avait beaucoup maigri depuis l'époque où elle avait sans doute allumé bien des incendies avec cette tenue, mais, ajouté au désastre de sa coiffure, le spectacle faisait maintenant peine à voir. Les énormes boucles d'oreilles à la Twiggy dont elle s'était parée ajoutaient une terrible touche de pathos à l'ensemble.

Robert était muet de stupéfaction.

Annie pouffa de rire, mais se ressaisit tout de suite.

David s'empressa de retourner au salon sous prétexte de sortir les instruments des étuis.

Clothilde, les larmes aux yeux, se sentit vite entraînée par Juliette qui l'avait prise par le bras.

— Wow! Jasmine, vous êtes belle! Vous avez raison, c'est Noël, il faut s'habiller pour la fête! Est-ce que vous auriez quelque chose de chic pour moi aussi? Clothilde, as-tu ta trousse avec toi, qu'on se mette belles pour ces messieurs?

— Et pour moi aussi! enchaîna Annie.

— Tu veux une belle robe, Annie?

— Moi? Non, mais je veux voir des filles sexy!

::

Dans le salon, David prenait tout son temps pour déballer les instruments. Tant qu'on le verrait ainsi affairé, on lui foutrait sans doute la paix.

Il ne s'agissait cependant pas d'installer tout un orchestre, si bien que, même en travaillant le plus lentement possible, il eut assez vite fait de sortir les deux violons et l'alto et de les déposer sur le piano, avec leurs archets respectifs en parallèle exacte à côté. Il sortit le violoncelle de Juliette, en extirpa la pique de métal jusqu'à la bonne hauteur, puis il déposa au sol la rondelle de caoutchouc qu'il avait trouvée dans l'étui pour que Juliette puisse y planter son instrument sans rayer le plancher.

Il entendit les voix de Robert et d'Annie dans la cuisine. David ne souhaitait pas les rejoindre et craignait même que Robert vienne lui parler pendant que les filles étaient occupées ailleurs.

Il contempla son installation. Il n'y avait franchement plus grand-chose à faire. Tout était rangé comme un beau plat de fruits qu'on s'apprête à peindre, dans l'espoir que la scène aura l'apparence du naturel alors qu'on vient de passer vingt minutes à trouver la meilleure disposition des pommes et des poires afin qu'elle s'harmonise avec la grappe de raisins dont on a dû retirer quelques fruits parce qu'ils n'étaient plus assez frais pour faire bonne figure dans la nature morte qu'on espérait capter sur le vif.

Le violoncelle était penché de côté, sur une jolie chaise de bois, sa large éclisse accoudée au coussin de velours. Les violons et l'alto reposaient sur le piano, parfaitement stationnés à quarante-cinq degrés. Un fort joli tableau.

Dans l'espoir de tuer encore quelques minutes, David entreprit d'accorder chacun des instruments, sans toutefois faire trop de bruit. Il commença par les deux violons. Il prit place sur le banc de piano et posa un de ceux-ci debout sur ses genoux, les cordes face à lui. Il pinça la corde de *la*. Cela lui sembla bon. Celles de *ré*, de *sol*, de *mi*. Malheureusement, il n'y avait aucun ajustement à faire. Il prit l'autre de la même façon. Même chose. Il n'osait pas vérifier avec la touche du piano, de peur d'attirer l'attention. Son oreille, sans être parfaite, était assez éduquée pour que David puisse vérifier la justesse d'une corde en correspondance avec les autres sans la confirmer avec le piano. Il aurait peut-être été confondu s'il l'avait fait, ce piano-ci étant accordé à 441 plutôt qu'à 440, mais peut-être n'aurait-il pas su faire la différence.

Arrivé à l'alto, David eut le plaisir de constater qu'il était tout désaccordé. Mais au bout de deux ou trois minutes, comme il se concentrait sur la clé récalcitrante de la corde de *do*, qui aurait eu besoin d'un peu de poudre de colophane pour rester agrippée à la bonne place plutôt que de se dévisser dans le beurre comme elle le faisait, il sentit un souffle dans son cou.

Surpris, David se retourna et vit Robert, beaucoup trop près de lui, penché au-dessus de son épaule.

— Un peu de résine, peut-être ?

David se leva aussitôt, en reculant d'un pas pour signaler le périmètre de son espace vital préféré.

— Je peux te parler, un instant ?

Robert vit que David regardait de part et d'autre et au-delà de lui. Imperméable à de tels signaux, il ne remarqua cependant pas la terreur dans les yeux du jeune homme.

— Annie est allée rejoindre les femmes. Assieds-toi, j'ai pensé à quelque chose qui pourrait peut-être t'intéresser.

Livré à lui-même, David ne pouvait refuser l'invitation et il reposa délicatement l'alto sur le piano.

Comme il prenait place sur la causeuse, il vit que Robert s'y dirigeait aussi. David se ravisa en catastrophe et posa plutôt ses fesses sur un petit pouf de velours à portée de derrière, comme si on venait d'arrêter la musique au jeu des chaises musicales.

Bien que l'assise du pouf était substantiellement inférieure à celle de la causeuse, David était beaucoup moins embêté par la basse altitude de son refuge qu'il ne l'aurait été de la promiscuité forcée à laquelle il venait d'échapper de justesse.

Robert ne remarqua évidemment rien de tout cela et commença sa présentation.

C'était tout simple.

Il y aurait bientôt des auditions à l'orchestre, pour le remplacer.

On ne ferait l'annonce qu'au début de janvier, et les auditions auraient lieu à peine trois ou quatre semaines plus tard. L'urgence expliquait ce délai beaucoup plus court qu'à l'habitude pour ce genre de chose. L'avantage, c'est qu'il y aurait sans doute moins de candidats. Et puisque, à ce moment du moins, on ne parlait pas encore de poste permanent, probablement beaucoup moins de musiciens venus de l'extérieur seraient intéressés à se taper le voyage et le pénible processus pour quelque chose d'aussi précipité et aléatoire.

L'audition se ferait à l'aveugle, derrière des écrans. Non seulement les juges ne pourraient les voir, mais les candidats devaient, sous peine de disqualification, éviter de se faire reconnaître de quelque façon. Pas un mot ne devait être prononcé sur scène. Pas de toussotement ou de quelconque manifestation vocale, qui pourrait révéler quoi que ce soit sur le sexe ou l'âge approximatif du candidat. Un tapis séparerait même les coulisses et le lutrin, pour qu'on ne puisse pas distinguer les pas d'un homme de ceux d'une femme. C'était très sérieux.

— Et les juges, c'est qui ?

— Un comité de l'orchestre, dont je fais partie.

David avait écouté attentivement, mais il ne comprenait pas exactement pourquoi Robert lui racontait tout cela.

— Est-ce que vous me dites que je devrais me présenter à cette audition ?

— Oui. Et Clothilde aussi, si ça l'intéresse.

David était toujours perplexe. Pourquoi tant de simagrées pour l'informer de quelque chose qu'il aurait nécessairement appris de toute façon ? Cela dit, la possibilité, aussi ténue soit-elle, de se trouver du boulot à l'orchestre méritait réflexion. Les petits engagements à droite et à gauche n'étaient plus aussi drôles qu'ils l'avaient déjà été. Et l'argent…

— C'est gentil de nous prévenir. On prendra les informations…

Robert était contrarié. Le garçon ne semblait pas comprendre qu'il lui offrait une chance unique. Le fait que Robert ne lui explique pas vraiment ses intentions n'excusait pas à ses yeux ce qui lui apparaissait comme l'ingratitude du jeune homme.

Il se leva d'un coup sec.

Sur son pouf au ras du sol, David dut faire un mouvement pour esquiver le plâtre qui lui frôla le visage quand Robert passa en trombe devant lui.

Il se demandait ce qui pouvait l'avoir piqué.

Robert était sorti du salon en trois enjambées.

Laissé à lui-même, David en profita pour se lever. Il pouvait entendre Robert farfouiller et vociférer dans une pièce voisine. Les rires des femmes qui faisaient on ne sait quoi plus loin dans l'appartement parvinrent aussi à ses oreilles.

« Ça fait une demi-heure qu'elles sont là. Qu'est-ce qu'elles peuvent bien fabriquer ? »

David préféra tout de même rester où il était plutôt que de risquer un face-à-face avec Robert en s'aventurant ailleurs.

Le mur derrière le piano était tapissé d'une multitude de photos, dont plusieurs de Jasmine. Seule ou au bras d'une variété impressionnante de messieurs. Des photos d'elle au piano, en robe de concert. D'autres qui semblaient avoir été prises lors de soirées mondaines ou dans ce même salon. Toutes ces images semblaient dater d'une autre époque. Aucune n'était récente. La plupart étaient d'ailleurs en noir et blanc. On y voyait beaucoup de musiciens. Tous les instruments y étaient représentés. Plusieurs portaient des dédicaces. « Avec tous mes remerciements », « Avec toute mon affection », « *Thanks for everything* », « *A la bella Yasmina* », « À JD, pour toujours »…

Elle avait été plus que belle. Magnifique. Envoûtante, sans doute. Vachement sexy.

Les hommes aussi étaient beaux. Certains d'entre eux, en tous cas. En smoking, en redingote, les cheveux lissés. Sur celle-ci,

Jasmine était toute jeune. L'air moins provocant. Plus timide, peut-être. Une beauté qui s'ignore encore, souriante, au bras d'un jeune premier. Un Marcello Mastroianni ou un Cary Grant, au port altier.

Puis, sur une petite table près du piano, une autre, encadrée. Un petit violoniste. Une espèce de Mozart en culottes courtes et chemise à jabot. Il a l'air bien sérieux.

Une inscription. « Robert, huit ans. Premier prix. »

— Voilà !

Des pas précipités accompagnaient la voix.

David se retourna.

Robert arrivait les bras chargés d'une pile de feuilles qu'il peinait à contenir du bout des doigts qui lui servaient de mains.

Il répandit le tout aux pieds de David. Délibérément.

Des dizaines de photocopies de partitions, étalées par terre.

Certaines volaient encore. Par dépit, Robert avait dû les envoyer en l'air plutôt que de les laisser tomber toutes seules.

— ?

— Ça ? Tu veux savoir ce que c'est ? C'est ça ?

— ?

— Ça, ce sont des traits d'orchestre. Tous les traits d'orchestre imposés pour l'audition. Ce sont des photocopies faites par moi, à la pharmacie du coin, avec mes doigts tout croches, avec ma mère en chemise de nuit ou en robe de bal, debout à côté de moi ; des photocopies, à dix sous chacune, pour que tu aies tout ce dont tu auras besoin pour l'audition.

— ?

Robert en pointa une, de son plâtre.

— Ça, c'est *Don Juan*. On va vous faire travailler le tout, mais on va te demander de jouer seulement les mesures 132 à 150, pour vérifier si tu sais faire des doubles croches en *spiccato*.

Il en pointa une autre.

— Ça, tu demandes ? Ça, c'est la 39e symphonie de Mozart. Ils exigent toujours un bout de la 39e. Pourquoi, tu dis ? Parce qu'il y a un passage dans le deuxième mouvement où les seconds violons doivent accompagner en triples croches les violoncelles qui jouent en doubles croches et il faut être précis. Compris ?

David ne disait rien.

Robert reprit son souffle. Il tremblait.

— Compris ? répéta-t-il, doucement.

Il y eut un silence.

David ne comprenait toujours pas.

— Je pense que je comprends, dit-il quand même.

Pour faire diversion, David choisit ce moment pour ramasser les partitions étalées sur le sol. Il s'accroupit et commença la cueillette.

Robert posa un genou par terre et tenta maladroitement de saisir lui aussi quelques-unes des feuilles éparpillées. Sans grand succès. Il mit l'autre genou par terre, croyant que cet appui lui faciliterait la manœuvre. Mais non. Tout lui filait entre les doigts.

Vaincu, il voulut se relever, mais à moitié chemin il se laissa retomber à genoux.

David n'y fit pas attention.

— Je sais des choses…

Déjà debout, David finissait de rassembler les dernières partitions et se dirigeait vers le piano pour les y déposer.

— Pardon ? fit-il distraitement, en empilant les feuilles.

En se retournant, David vit que Robert était toujours sur les genoux. Il avait le regard humide.

David ne savait plus où se mettre.

— Je sais des choses, répéta-t-il. Je connais plein de choses, qui ne servent à rien…

— Mais non… Pourquoi vous dites ça ? Venez vous asseoir. Vous voulez que j'aille vous chercher un verre d'eau ou…

— Je sais qu'à la mesure 65 de la 3e symphonie de Beethoven, c'est très difficile de ne pas jouer les deux doubles croches trop vite... Il faut lever la croche à partir de la corde et non avec l'archet dans les airs, puis jouer les deux doubles très égales. On doit continuer comme ça jusqu'à ce que ça redevienne des croches; c'est seulement à partir de ce moment qu'on peut attaquer les croches en *spiccato* léger.

Robert regardait dans le vide. Ses paroles, en flot continu, comme un acteur en italienne.

— À la mesure 75, c'est *forte*, mais il faut suivre la ligne mélodique et pas se défoncer ici, parce que, à la mesure 81, c'est *fortissimo*, alors il faut qu'il reste du jus pour sentir l'impact à ce moment-là, et pas plus tôt...

David entendait plus qu'il n'écoutait. Comme on regarde un film étranger, sans sous-titres. Il en comprenait des bouts, mais pas tout.

— Dans le Skerzo de l'*Héroïque*, si tu pars trop vite au début, tu vas te casser la figure à la mesure 161...

Mais plus il écoutait, plus son esprit se familiarisait avec le langage.

— Le deuxième mouvement de la 2e symphonie de Brahms, le trait qui commence à la mesure 51, c'est un test d'intonation. À la mesure 52, il faut faire attention au phrasé. Il faut se retenir d'accentuer trop pour ne pas que ça ressorte de façon incongrue. Il faut bien se fondre avec le reste; c'est une question de coups d'archet. Il vaut mieux lier toute la mesure que d'y aller en demi-mesures...

Robert discourut ainsi sans arrêt durant quelques minutes.

David devenait de plus en plus attentif. Le débit était trop rapide pour qu'il puisse retenir le détail du propos, mais il en comprenait la substance. Il comprit que le *Don Juan* était un test de virtuosité, que certains traits demandaient plutôt de la musicalité, ce bout de Mozart, de la précision dans le rythme, celui-ci, de la profondeur de son, celui-là, de Smetana, une certaine sorte de *spiccato*…

Bien qu'éducatif, le spectacle que donnait ce violoniste à genoux demeurait étonnant. Dérangeant. Un peu triste, aussi.

Quand il eut fini sa longue tirade, Robert semblait émerger d'une transe. Il leva la tête pour trouver les yeux de David, assis à côté, sur la causeuse.

— Plein de choses. Comme ça. Plein. Tout dans ma tête. Tout.

David entendit les voix des filles se rapprocher.

Il se précipita vers Robert pour l'aider à se lever afin qu'elles ne le trouvent pas dans cette curieuse position.

— Allez ! Les filles arrivent. On va faire de la musique.

David le prit par le bras et Robert retrouva enfin la verticale au moment où les femmes apparurent dans le salon.

Une apparition, en effet.

Le thème avait en quelque sorte été imposé par le contenu de la garde-robe de Jasmine, dont les plus beaux morceaux dataient des années soixante-dix.

Les filles avaient pris grand soin de Jasmine, radieuse dans sa robe blanche Marimekko, imprimée de larges fleurs rouges. Maquillée et coiffée à la Callas, elle semblait sortir des pages d'un *Jour de France* de 1972. « Jasmine en tournée en Amérique. Le triomphe de la diva internationale au pays du rock and roll. Les photos de son bonheur, page 8. »

Clothilde avait quant à elle choisi le look gogo girl. Mini-jupe jaune, large ceinture de plastique, manches bouffantes. De l'orange sur les paupières comme sur les lèvres… le tout prêt à croquer. Elle avait aussi déniché de dangereuses bottes blanches, lesquelles lui donnaient des airs de Nancy Sinatra qui s'apprête à marcher *all over you*.

Annie n'avait pas changé sa tenue. La beauté de ces femmes l'intimidait, mais elle avait pris plaisir à regarder. Surtout Juliette, qu'elle ne quittait pas des yeux.

Et pour cause.

Était-ce un hommage ? Une provocation ?

Juliette avait revêtu la robe de bal dans laquelle Jasmine était apparue plus tôt. Élégante, on ne peut plus sexy, avec ses seins dont on apercevait le substantiel volume s'animer en liberté sous la soyeuse étoffe, Juliette déambulait en souriant.

Elle guida Jasmine jusqu'au piano.

L'une à côté de l'autre, vêtues de cette façon, elles se ressemblaient. L'une perdue, l'autre retrouvée. L'évocation d'une même transcendante beauté. Les photos derrière, des souvenirs évaporés. La présence de Juliette dans cette tenue, un affectueux hommage.

Bien sûr que les yeux de David cherchaient les occasions de s'engouffrer dans le décolleté de Juliette, par réflexe. Mais ils revenaient vite sur Clothilde. Parce qu'il l'aimait. Il en était à peu près sûr. Surtout avec les bottes blanches.

Il se demanda s'il y avait moyen que Clothilde les rapporte à la maison. Jasmine ne devait plus les porter depuis longtemps. Perdue comme elle était, ce n'est pas comme si elle allait s'en apercevoir…

Clothilde croisa son regard. Elle s'approcha tout près.

— Moi aussi, je pense que je devrais les emprunter, chuchota-t-elle à son oreille.

— Il faut que je te parle…

Mais Juliette réclamait l'attention de tout le monde.

— Tout le monde a sa partition ?

Elle finissait de distribuer les cahiers de Schumann sur les lutrins.

— Le quintette ? demanda Robert. C'est peut-être un peu costaud pour maman…

Il alla s'asseoir aux côtés de Jasmine, sur le banc. Il tenterait de lui tourner les pages pendant qu'ils déchiffreraient la substantielle partition.

Était-ce la jolie robe qu'on lui avait enfilée? Son chignon impeccable? La présence de ces jeunes musiciens? Jasmine semblait tout à fait présente, déjà plongée dans la partition dont elle parcourait les premières portées, du regard, pour anticiper les difficultés.

Elle effleurait son clavier tout en effectuant sa lecture rapide. Elle tourna une page, puis l'autre, puis une autre. Plaquant un accord ici, montant une gamme là, elle arriva ainsi au bout du mouvement et se déclara prête à commencer.

— Schumann, c'est ça?

Les autres instrumentistes se réchauffaient également, de plus ou moins semblable façon.

Annie s'interrompait parfois pour remonter sa corde de *do*, récalcitrante, qu'elle arrangea définitivement en frottant de la résine sur la clé et dans le trou approprié de la volute.

Pour David, ce serait de la lecture à vue. Il connaissait le quintette pour l'avoir souvent entendu et peut-être lu à deux ou trois reprises, mais il ne l'avait jamais travaillé sérieusement.

Clothilde le connaissait beaucoup mieux, si bien qu'elle lui proposa d'échanger leurs partitions. Elle jouerait premier, il jouerait second.

La partie de second était assez touffue elle-même, « du pain aux raisins », comme David aimait à décrire les pages bien remplies de notes, mais au moins on s'y promenait pas trop dans l'aigu. Ce qui faciliterait quelque peu l'opération.

Lui aussi parcourut les pages une à une, identifiant les passages dangereux qu'il notait mentalement pour référence future.

Le premier mouvement est marqué *allegro brillante.*

Clothilde proposa de le prendre un peu plus *moderato* afin d'éviter l'utilisation des mâchoires de désincarcération pour extraire les corps si on se cassait la figure en chemin, ce à quoi tous acquiescèrent.

Cependant, aussi modérément qu'on le prenne, ce mouvement avait l'inconvénient de débuter comme si on se réveillait soudainement dans une voiturette de montagnes russes en pleine course. Sans rails.

Jasmine donna le *la*.

— 441 ? fit Juliette. Pourquoi pas. Ça donne du tonus.

Tout le monde dut se réaccorder.

Robert était ébloui.

Yoyomaiden, dans son salon, dans la robe de bal de sa mère… Et cette oreille… Son cœur battait, battait, battait.

Clothilde donna le signal, et ils attaquèrent le mouvement de convaincante façon.

David peinait, mais s'en tirait bien. Les premières mesures franchies, il était déjà assez à l'aise pour lire une ou deux mesures devant ce qu'il était en train de jouer. Dès la deuxième page, il lisait à trois ou quatre mesures en avant. De cette façon, son cerveau pouvait procéder en amont au choix de doigté et de coup d'archet avant que le signal soit donné aux mains et aux doigts d'effectuer la manœuvre ainsi prédéterminée. Cela évitait la précipitation dans le jeu, les mauvaises surprises et laissait assez d'espace mental — bien que le tout se déroulât en terme de nanosecondes — pour que le cerveau envoie les signaux appropriés pour exécuter les nuances musicales envisagées au même instant. Un vibrato plus rapide sur les deux premières notes de cette montée en doubles croches, à la main gauche, plus d'intensité dans le geste de la main droite pour alourdir l'archet sur la corde, serrer les fesses un petit peu pour la descente en *spiccato*…

Malgré l'extrême complexité du processus, cela ne faisait pas de David un génie pour autant. Il n'y a en fait aucune autre façon de jouer convenablement une pièce qu'on ne connaît pas encore assez pour se fier à sa mémoire digitale. Au même titre que le joueur de tennis qui s'apprête à retourner un service redoutable, toutes les possibilités sont anticipées, à haute vitesse.

Jasmine semblait s'en donner à cœur joie.

Elle qui avait eu l'air d'une enfant désemparée une heure plus tôt fouettait maintenant l'attelage des accords plaqués dont recelait le mouvement, avec une assurance parfaite et une énergie contagieuse. Jusqu'à la dernière note.

Tout cela était bien mystérieux.

Les musiciens à l'œuvre ne s'en étonnèrent pas. Ils ne le dirent pas, en tous cas.

Jasmine était une musicienne. Elle faisait de la musique.

Pour ne pas rompre le charme, ne pas effaroucher la grâce, on passa au deuxième mouvement sans dire un mot.

C'est à la faveur de cette partition moins exigeante, que l'esprit de David partit en promenade.

Il avait bien un œil sur les notes, mais se permettait aussi des regards à gauche et à droite. Les narines de Clothilde qui s'ouvraient au début d'une phrase, comme l'auraient fait celles d'un chanteur. Les sourcils de Jasmine qu'elle haussait ou fronçait selon le dessin de la ligne qu'elle interprétait. Le regard de Robert qui suivait dans le cahier. Annie qui comptait les mesures en tapotant un doigt sur sa cuisse. D'où il était assis, il ne pouvait pas bien voir Juliette.

Mais dans ce salon étranger, même la présence de Clothilde, celle de ses amis, même cette musique familière ne le rassuraient pas. Il cherchait ses repères. Devait-il avancer davantage ou reculer ? S'installer dans la folie ambiante ou au contraire rester sur ses gardes ? Les filles semblaient tout à fait à l'aise, elles. Pas lui.

Il ne s'était toujours pas habitué au son du violon de Sylvain, ce qui renforçait son impression de désincarnation. Au milieu de cette conversation musicale, il ne reconnaissait pas sa propre voix. Celle qu'il entendait ne lui appartenait pas, et c'était très inconfortable.

Au moins, tant qu'ils faisaient de la musique, il n'avait pas à subir les étranges manières de Robert ou le déroutant spectacle de la folie de sa mère.

Et cette audition pour l'orchestre. Était-ce pour vrai ?

Il fallait qu'il en parle à Clothilde. Ou était-elle déjà au courant ?

En tous cas, il passerait un coup de fil à Barbara. Fini les *gigs* de clown.

Un passage à découvert qui arrivait dans deux mesures, bientôt juste une, le sortit en catastrophe de sa rêverie.

Son archet n'était pas au bon endroit sur la corde et il aurait eu besoin de plus de profondeur pour jouer les graves solennels que commandait la partition à cet endroit. Mais bon.

Déséquilibré pour une seconde, il se rattrapa sans qu'il n'y paraisse trop.

*In modo d'una marcia.*

# CHAPITRE 13

— Est-ce que tu me pardonnes ?

— Bien sûr que je te pardonne, mon coco.

Ça faisait drôle de voir la grande Marianne alitée comme ça, surtout avec ce bandage autour de la tête qui lui faisait comme un turban vaguement hindou.

Il ne lui manquait qu'un point sur le front.

En fait, elle en avait un énorme, mais on ne le voyait pas, à cause du bandage, justement.

Sans doute à cause des médicaments qu'on lui avait administrés, elle avait l'air très calme, la Marianne.

Annie lui tapotait la main, en continuant d'implorer son pardon.

Marianne acquiesçait, rassurait sa chérie de regards tendres, mais la vérité c'est qu'elle ne se souvenait pas de grand-chose. La commotion cérébrale n'était peut-être pas trop sérieuse, mais on les avait quand même prévenues que la violoniste serait un peu *groggy* pour quelques jours encore.

— Et l'audition ?

Elle se souvenait tout de même de ça.

::

Après le quintette de Schumann chez les Dubreuil, Juliette avait tenu à jouer l'*Arpeggionne* avec Jasmine. Elle le lui avait promis.

Et même si Jasmine n'avait gardé aucun souvenir de cette promesse, Juliette avait tenu à jouer ce morceau de Schubert avec la mère de Robert, si charmante quand elle n'était pas si effrayante.

Juliette aimait beaucoup cette pièce, qui se joue d'ailleurs aussi à l'alto. En fait, l'arpeggione était un instrument hybride, depuis longtemps disparu. Une espèce de mélange entre le violoncelle et la viole, pour ce qui est de son apparence, mais dont la sonorité s'apparentait étrangement à l'alto, par son timbre ambigu. C'est ce qu'on pouvait apprendre si on lisait sur le sujet. Et Schubert avait écrit cette pièce pour cet animal-là.

Justement, Juliette aimait bien tout ce qui était singulier. Cette musique lui semblait donc appropriée pour célébrer la singularité de cette dame et de son fils.

Elles avaient joué ainsi, pendant que les autres mettaient la table.

Incapable de disposer les assiettes sans en casser, Robert avait laissé faire les autres et avait profité de ce moment pour informer davantage David et Clothilde de ses intentions.

Ça devenait maintenant beaucoup plus clair.

Robert les guiderait, leur donnerait tous les trucs du métier pour que l'un et l'autre soient fin prêts pour l'audition.

Ils auraient une longueur d'avance sur tous les autres.

Non seulement il connaissait par cœur tous les pièges des traits d'orchestre imposés, mais il saurait aussi leur indiquer sur quels passages insister, de quelle manière les jouer, ce que les juges chercheraient à déceler dans leur jeu pour décider du meilleur candidat. Le type de sonorité. Les effets à produire…

Et en plus, il serait lui-même un des juges.

— Ce n'est pas un peu illégal ce que vous proposez ? suggéra Annie qui n'avait pas manqué une parole, même si elle faisait semblant d'être occupée à nettoyer des verres.

Robert était contrarié, mais il ne le montra pas trop.

— Pas du tout ! Qu'est-ce que vous croyez ? Je veux seulement que Clothilde et David aient les meilleures chances de leur côté.

Et puis je ne serai pas le seul juge ! D'ailleurs, c'est à l'aveugle, alors je ne saurai même pas qui joue.

— Mouais… Mais la voix d'un violon qu'on connaît bien, on s'en souvient toujours, non ?

Annie commençait à lui courir sur les nerfs.

— C'est vrai, ça, intervint Clothilde. Surtout le crincrin de David !

— Ah ça, non ! C'est impossible. Tu ne pourras pas jouer avec cette boîte à chaussures.

David s'en doutait bien.

— Oui, mais je ne sais pas si mon Jules Leclais sera prêt à temps.

— Il le faut. Ou trouve-toi un autre instrument d'ici là. C'est trop important.

Annie ne lâchait pas pour autant le morceau.

— Et Marianne ? Faudrait bien qu'elle puisse passer l'audition, aussi ! Pourquoi juste vous ?

Robert avait l'air confus.

David expliqua.

— C'est son amoureuse, Marianne. Elle est violoniste. C'est sûr qu'elle va vouloir passer l'audition, elle aussi.

— Ah, vous êtes lesbienne !

La chose avait l'air de beaucoup amuser Robert.

Pas Annie.

— Et vous, vous êtes quoi, au juste, Robert ? Ça veut dire quoi, ça « vous êtes lesbienne » ? Est-ce qu'on se connaît ? Et comment on appelle ça un vieux garçon qui habite chez sa maman à moitié folle ? Il y a un nom pour ça ?

Clothilde crut bon d'intervenir.

— Annie…

— Laisse-moi. Je vous ai vu souvent, à La chanterelle. Vous aimez bien reluquer les jeunes, c'est ça ? Il reste dans son coin à siroter son café pendant des heures. Il ne parle à personne, mais il regarde, il écoute. Tout le monde se demande c'est qui ce vieux pédéraste, cette espèce de troisième violon qui, qui…

Robert ne parlait pas, mais il n'avait pas l'air trop affecté par ce qu'il entendait.

Annie continuait sur sa lancée.

— Lesbienne, lesbienne… Puisqu'on peut pas vraiment dire que vous êtes un homme, ça serait pas vous la lesbienne ? Je vous ai vu regarder Juliette pendant le Schumann. Je me demandais si elle aurait encore ses vêtements quand on aurait fini tellement vous la déshabilliez des yeux.

Cette jeune femme l'amusait vraiment. Elle était vive, et plutôt perspicace. Cela lui plaisait.

— Vous avez bien raison. Alors, votre Marianne ? Elle est bonne ?

— Quoi ? ?

— Elle est bonne violoniste ?

— … Ben oui, elle est bonne. Comme David, à peu près. Comme eux, là. Ce niveau-là, je dirais.

David eut une idée.

— Peut-être qu'elle pourrait me prêter son violon si jamais elle ne veut pas faire l'audition ?

— Comment ça, si jamais ? Elle va passer l'audition et c'est elle qui va être choisie. C'est tout.

— OK, mais elle pourrait me prêter son violon quand même ?

— Prends celui de Clothilde.

— Je veux bien, mais comment on va faire pour travailler avec le même instrument ?

Cette idée de partage de violons ne plaisait pas davantage à Robert. Avec les auditions à l'aveugle, il serait déjà assez difficile d'identifier David ou Clothilde au seul son de leur instrument — à leur insu, toutefois. S'il fallait qu'ils commencent à échanger leurs violons entre eux et avec celui de Marianne, qu'il ne connaissait pas, son plan tombait à l'eau. La possibilité de prêter son propre violon à David lui avait bien effleuré l'esprit, mais c'était trop risqué. Dans les coulisses, un collègue pouvait reconnaître l'instrument dans les mains de ce candidat et poser toutes sortes de questions. Non. Trop dangereux.

Il aurait pu convenir d'un signal. Leur dire de s'accorder de telle façon. Jouer ce bout de gamme prédéterminé, juste avant de commencer, pour s'identifier. Or, il savait bien que les jeunes auraient refusé. C'était mettre leur talent et leurs capacités en doute. Ils devaient croire que le meilleur violoniste serait choisi. Robert savait que ce serait plutôt celui ou celle qui passerait la meilleure audition. Il n'y avait pas nécessairement de connexion entre les deux.

D'ailleurs, qu'est-ce que c'était que la meilleure audition? Deux ou trois collègues imbéciles siégeraient avec lui, chacun avec ses goûts propres et discutables, ses limites, ses frustrations. C'était une corvée. Aucun n'aurait envie d'être là. En plus, c'était la faute de Robert si on leur imposait cette tâche. Qu'il le choisisse, le meilleur candidat.

Et la nervosité. C'était bien connu. La pression des auditions est si épouvantable qu'elle rend malade. Plusieurs se dénichent des comprimés de propranolol pour contrer les effets de cette terrible angoisse, pour ne pas perdre complètement ses moyens ou carrément s'évanouir; un médicament habituellement prescrit aux gens qui souffrent d'hypertension parce qu'il freine les montées d'adrénaline. C'est atroce de faire subir un tel sort à des musiciens qui aspirent à se fondre dans un orchestre, qui ne sont justement pas des solistes. Soliste, c'est un autre animal. Ce sont des bêtes qui se nourrissent de cette pression, qui en redemandent, pour mieux briller. On ne veut pas de ces monstres-là au quatrième pupitre des seconds violons.

Robert devrait faire de son mieux pour bien les préparer, certainement, mais aussi, les écouter avec attention, pour intérioriser les idiosyncrasies de leur jeu et les reconnaître au moment opportun. Si ses protégés s'en tiraient bien, il saurait imposer son choix à ses collègues. Et son choix, c'était David. Parce qu'il était tout ce qu'il n'était pas et aurait souhaité être.

Instinctif. Doué, mais pas trop. Normal.

Il serait apprécié de tous, dans l'orchestre. Peut-être séduirait-il cette jolie flûtiste que Robert épiait par-dessus son lutrin depuis des années. Il ferait des blagues. Les gens riraient. Il parlerait en bien de Robert Dubreuil, son ami. Oui, son ami. Et un excellent professeur, aussi. L'avait-il aidé pour les auditions ? Non, quelques conseils, bien sûr. Mais vous connaissez Robert. Un exemple d'intégrité. Et un humour ! Vous devriez le voir avec sa jeune épouse. Oui, une violoncelliste. Elle est ravissante.

— Robert ? Les filles ? David ? Vous pourriez venir ici ? Vite ?

Juliette avait appelé du salon. Quelque chose n'allait pas.

Jasmine était assise au piano. Elle fixait la partition, immobile et muette.

— Elle s'est arrêtée en plein milieu du mouvement. Je pensais qu'elle s'était trompée et voulait reprendre, mais non. Ça fait trois minutes qu'elle est comme ça. Elle n'a plus bougé.

Robert s'approcha de sa mère.

— Maman ? Maman ?

Jasmine avait la bouche ouverte. Un peu de bave s'écoulait à la commissure de ses lèvres.

Annie suggéra d'appeler une ambulance.

— Non, non, protesta Robert. Pas tout de suite.

Il posa un doigt sur la gorge de sa mère.

— Son cœur bat régulièrement. Aidez-moi, on va l'étendre sur son lit.

— Vous êtes sûr qu'on ne devrait pas appeler un docteur, au moins ?

— Non, ils vont l'emmener. Pas tout de suite, s'il vous plaît. Aidez-moi.

Comme ils tentaient de la soulever, Jasmine sembla reprendre connaissance quelque peu.

— … ouberre…

— Est-ce qu'elle a dit Robert ?

— … Schub…

— Viens, maman. On va aller t'étendre.

Elle pouvait se tenir debout. Juliette et Clothilde l'escortèrent jusqu'à sa chambre. Robert suivait derrière, hagard.

David et Annie restèrent seuls un moment.

— On mange ?

— T'as faim, toi ?

— Ben oui. T'as vu, y a des huîtres…

Elle était déjà à table.

Clothilde resta un moment au chevet de Jasmine avec Juliette. La dame semblait aller mieux. Elle souriait, maintenant.

Robert entra dans la chambre.

— Maman ?

— Mon petit Robert…

Clothilde sortit doucement et alla rejoindre les autres. Juliette resta encore un moment sur le pas de la porte.

— C'est beau, Schubert.

— Oui, m'man. Repose-toi.

Lorsque Robert sortit de la chambre, Juliette l'attendait.

Elle le regarda longuement dans les yeux. Il avait l'air éberlué.

Juliette s'approcha. Elle l'embrassa tendrement.

Robert se dégagea juste assez pour prononcer quelques mots dans la chevelure de Juliette.

— ClaraWieck.

— Oui. Je la connais.

— C'est moi.

— Je sais.

Elle l'embrassa de nouveau. Sur la joue, cette fois.

— Allez les rejoindre. Je vais prendre des nouvelles de votre mère.

— Mais…

— Vas-y. Je vous rejoins dans deux minutes.

Robert la quitta à regret.

Les jeunes convives ne remarquèrent rien de particulier lorsque Robert vint se mettre à table. Il avait l'air aussi étrange que d'habitude.

Juliette arriva quelques minutes plus tard. Tout sourire.

— Jasmine se repose. Schubert par-dessus Schumann, c'était peut-être beaucoup…

Il y eut un silence.

Robert soupira.

— Vous l'avez entendue ? Ça fait des mois qu'elle n'a pas joué avec tant d'ardeur. De précision. Pas un accroc… C'est incroyable. Puis tout à coup, plus rien…

Annie suça bruyamment l'huître qu'elle portait à sa bouche.

— Ssssssrrrrrrrrrlllp…

— Exactement. Elle s'est vidée.

Annie ouvrait déjà un autre coquillage.

— Vous n'avez jamais pensé à la placer ?

Clothilde lui lança un regard de reproche.

— Quoi ? Qu'est-ce que j'ai dit de mal, encore ?

Robert ne se formalisa pas.

— Non. Mais je vais peut-être m'y résoudre éventu…

Annie l'interrompit.

— Oh ! Une perle !

David se montra très intéressé, espérant surtout que l'heureux incident changerait le cours de la conversation.

— Montre ! !

Juliette et Clothilde sautèrent également sur l'occasion.

— Oooh ! Elle est toute petite !

— Ouvrons les autres, peut-être qu'on pourra se faire un collier !

— Ou un talon d'archet !

— Annie, vérifie quand tu iras aux toilettes. Comment tu les as inhalées, ces huîtres, t'as peut-être de jolies boucles d'oreilles dans le ventre !

On mangea. On versa du vin. Les voix se firent plus bruyantes, parsemées d'éclats de rire. Juliette effleura la cuisse de Robert sous la table. Surpris, puceau et troublé, il éjacula dans son pantalon. Il ne se leva pas de table pour autant.

Juliette vit qu'il rougissait.

— Je… Votre main… Ta main… J'ai… Je crois que je…

Une nouvelle caresse fit comprendre à Juliette l'effet qu'avait eu la première.

Elle lui sourit.

— Ce n'est pas grave. Vous êtes charmant…

On but davantage et convint de passer au salon pour lire des quatuors.

Les sons joyeux de ce qui ressemblait à un véritable repas de Noël parvenaient aux oreilles de Jasmine, dans son lit. Ce qui eut l'effet de réveiller sa colère.

Ils étaient au milieu du troisième mouvement des « Dissonances » de Mozart, le Köchel 465, quand Jasmine apparut soudain en hurlant.

— Qu'est-ce que vous faites ici ? C'est quoi ces putains dans mon salon ?

En chemin, elle s'était emparée du couteau à pain, resté sur la table.

— Maman ! Non !

David s'était levé d'un coup sec. Clothilde et Annie reculaient dans leur chaise.

Jasmine restait immobile. Haletante. Le couteau menaçant, au-dessus de sa tête.

Robert se leva et marcha lentement vers elle.

— Ce sont des amis, maman… Donne-moi le couteau… Tu vas te faire mal…

Juliette, qui n'avait pas bougé, retourna les pages de son cahier jusqu'à celle du début. Elle fit vibrer les notes de la première mesure, des *do*, profonds, répétés, comme la partition l'indique, mais auxquels viennent s'ajouter le *la* bémol de l'alto, puis le *mi* bémol du second violon, pour créer cette remarquable dissonance, incongrue, qui a valu ce surnom à ce quatuor. Mais Annie, David et Clothilde étaient encore figés, debout ou assis, paralysés.

Robert s'approcha davantage.

Jasmine recula d'un pas.

Juliette continuait à jouer la même note ténébreuse, espérant que les autres comprennent enfin et la suivent.

Annie se ressaisit et ajouta sa propre note, mais continua encore en boucle jusqu'à ce que David et Clothilde embarquent…

— Des prostituées, dans ma maison… Des traînées…

— Maman, je t'en prie…

Clothilde se mit à jouer. David resta debout, mais, le violon sous le menton, il posa son archet sur la corde et fit entendre la phrase du premier violon qui venait résoudre l'improbable équation harmonique encore suspendue dans l'espace.

Il se rassit.

Juliette entama la seconde mesure avec la même troublante intensité, les autres instruments édifiant peu à peu un nouvel accord étrange auquel la complainte du violon de David venait ajouter une quatrième couche de mystère.

Le suspense dura ainsi pendant les quelques magnifiques mesures de l'adagio introductif. La voix de Mozart qui remplissait le salon couvrait celles de Robert et de Jasmine, que les musiciens ne pouvaient ainsi entendre. Surveillant tout de même l'action du coin de l'œil, David constata que le jeu se calmait peu à peu.

Jasmine avait déposé son arme. Robert l'invitait à s'asseoir.

À la fin de l'adagio, alors que la partition ne prévoit qu'une respiration avant de se lancer dans l'allegro, les sanglots de Jasmine brisèrent le court silence.

— Tu me trompes…Tu me trompes…

Mais tout de suite l'allegro commençait. L'écran sonore s'élevait de nouveau, procurant un peu d'intimité de part et d'autre.

Par respect, les musiciens ne descendaient pas sous le mezzo forte, de peur qu'à la faveur d'un pianissimo soudain, même si la partition l'indiquait, ne leur parviennent des paroles qui ne leur étaient pas destinées.

Robert écoutait les mots décousus que Jasmine balbutiait entre deux sanglots. C'était fini, disait-elle. Elle ne voulait plus le revoir. Cruel. Menteur. Salaud.

Elle se laissa tout de même bercer entre les bras de son fils.

Robert souriait. Ce n'était pas la première fois qu'il ramassait les morceaux de Jasmine. Cette fois-ci, par contre, il y avait des témoins, peut-être même des amis. De la musique. Et Juliette.

Le moment était peut-être venu de planifier la prochaine étape. Mais il ne savait trop ce qu'elle serait ni comment il la franchirait.

: :

Ami, ami…

Pour sa part, non seulement David ne concevait pas sa relation forcée avec Robert comme de l'amitié, mais il priait pour qu'on ne s'éternise pas davantage dans cette maison de fous et que Clothilde le sorte de là dans les meilleurs délais.

Il fut exaucé quand Robert proposa lui-même que ses invités repartent et le laissent seul avec Jasmine. Extrêmement reconnaissant, il s'excusait de les avoir exposés à tout ce tremblement. Il communiquerait avec eux pour préparer l'audition.

Les filles insistèrent pour faire la vaisselle, ce qu'elles expédièrent heureusement en seulement quelques minutes. David se fit un plaisir de remballer les instruments à une vitesse foudroyante.

Jasmine restait assise sur le canapé tandis que David finissait de rezipper les étuis.

Elle regardait les photos sur le mur.

— Salaud…

David fit semblant de ne pas entendre.

— Vieille folle, dit-il simplement, en feignant de se racler la gorge.

: :

En sortant de chez les Dubreuil, David insista pour passer à La chanterelle. Il voulait obtenir des nouvelles de son Clio, et c'était tout près.

Malgré l'insistance de David, Sylvain ne voulut pas lui montrer son violon. Les choses avançaient bien, mais tout n'était pas terminé. Il le rappellerait quelques jours plus tard. Quelques semaines tout au plus.

Ces cachotteries n'avaient rien de rassurant, et David quitta l'atelier encore plus angoissé qu'il ne l'était déjà.

: :

De retour chez elle, Annie s'empressa de raconter à Marianne sa journée chez les Dubreuil et surtout de l'informer de l'audition prochaine à l'orchestre.

— L'annonce officielle n'est pas encore sortie, mais j'ai déjà les traits d'orchestre imposés. En tous cas, je les aurai bientôt. David va me les donner.

— Oh, c'est toujours les mêmes traits, non ? *Don Juan*, la 39e de Mozart, Smetana…

Annie était déçue de son manque d'enthousiasme.

— Ben là, ça ne t'intéresse pas ? Dubreuil va faire partie du jury ! Il va nous donner des conseils !

— Nous ? Tu passes l'audition toi aussi ? C'est pas seulement pour les violons ?

— Évidemment que c'est pas pour moi, mais ce serait cool si t'étais dans l'orchestre, non ? Plus d'argent, moins de *gigs* à la con…

Marianne était un peu surprise de l'empressement de sa compagne.

— Moi, j'aime bien notre vie comme elle est. Nos petits engagements… On travaille ensemble… L'orchestre, les horaires, les tournées, je ne suis pas sûre…

Annie n'était pas contente.

— OK. Arrange-toi donc toute seule, d'abord.

Et elle alla s'enfermer dans la chambre.

: :

Malgré la singularité de la situation, les rapports entre Clothilde et David continuèrent d'être harmonieux.

Ils convoitaient le même poste, mais ils ne semblaient pas se considérer comme des adversaires pour autant.

À la grande déception de Robert, David refusa de retourner chez les Dubreuil pour préparer l'audition. Il s'inventait des obligations familiales du temps des fêtes pour manquer les rendez-vous, sous prétexte de ne pas trop froisser Robert. En fait, l'idée de se retrouver devant la furie de Jasmine lui était tout simplement insupportable. Il préférait s'en remettre à Clothilde, qui se rendait aux leçons seule ou accompagnée de Juliette qui semblait prendre goût à ces visites.

Généreuse, Clothilde transmettait ensuite à David les enseignements acquis auprès de Robert.

Lorsque Clothilde revenait à l'appartement, le jeune couple travaillait ensemble, se corrigeant et s'encourageant mutuellement. Ils invitèrent même Marianne à quelques-unes de leurs séances d'entraînement pour qu'elle ne soit pas en reste et surtout pour ne pas s'attirer les foudres de sa bouillante compagne qui les surveillait de loin.

Et ces enseignements étaient précieux.

En l'absence des nombreuses recommandations et mises en contexte prodiguées par Robert, le seul travail des traits d'orchestre en vase clos n'aurait tout simplement pas été suffisant. Les candidats pouvaient perdre un temps fou à travailler des passages techniques éprouvants sans savoir que ce n'était pas tant la vitesse ou l'agilité digitale que les juges voudraient ici évaluer, que la précision de l'accentuation, ou encore la capacité à phraser dans le contexte des lignes mélodiques des autres instruments. À l'inverse, des traits qui pouvaient paraître insignifiants au premier abord pouvaient receler des pièges de qualité sonore si, par exemple, on choisissait le doigté facile en première position, plutôt qu'une montée en démanché sur la corde grave.

— Et si c'est toi qui l'as, le poste, tu m'aimeras encore ?

Ils avaient encore passé plusieurs heures à travailler. Étendus sur le canapé du salon de l'appartement des filles, David et Clothilde suivaient distraitement la partition en écoutant un enregistrement de la 39e de Mozart.

Clothilde lui sourit.

— Évidemment. Mais la question ce n'est pas plutôt : « Toi, David, m'aimeras-tu encore si j'obtiens le poste ? »

David fit mine de réfléchir un moment.

— Est-ce que tu m'achèteras une voiture avec tout ce bel argent ?

Clothilde s'empara d'un coussin et en asséna un grand coup sur la tête de David.

Il se défendit en lui pinçant une fesse.

Elle se jeta sur lui pour le chatouiller.

Attirée par les sons de leur joyeuse bataille, Juliette se pointa dans le salon.

— Vous devriez pas aller vous coucher, les cocos ? C'est pas demain, l'audition ?

— Penses-tu vraiment qu'on va pouvoir dormir ? On a les nerfs en feu !

— Ah bon. Vous avez l'air pas mal relaxe pour des condamnés qui s'en vont à l'échafaud…

David se leva.

— N'empêche, c'est vrai. Puis il faut que je passe chez Sylvain chercher mon violon avant l'audition.

— T'es fou ? Tu vas utiliser ton Jules Leclais sur lequel tu n'as pas joué depuis deux mois ?

— Pas le choix.

— Clothilde, prête-lui ton violon. David le connaît, non ?

— Je lui ai offert. Il préfère son Clio.

— Ça va me mettre en confiance. Je te jure.

Ce qui le mettait en confiance, c'était plutôt le propranolol. Clothilde en avait pris aussi. Ils ne dormiraient probablement pas dans les prochaines heures, mais au moins, l'adrénaline était encore relativement sous contrôle.

Relevant lui-même d'une importante audition, un copain tromboniste leur en avait refilé quelques comprimés.

— Sans ça, j'aurais vomi dans mon trombone, je vous jure.

— Sérieux ?

— Sérieux. C'est ce qui m'est arrivé la première fois. Tu peux pas savoir tant que tu n'es pas entré dans le couloir de la mort.

— Le quoi ?

— Les dix mètres de tapis qui séparent les coulisses du milieu de la scène où on va t'exécuter. L'écran de huit pieds qui te cache des juges… Le Parkinson qui s'empare de toi… la dysenterie…

— OK, OK, on va en prendre…

Juliette allait se retirer. Clothilde lui fit signe de rester.

— Attends un peu, toi. On a des questions à te poser.

— Je vous écoute.

— Alors, tu l'aimes bien, Robert Dubreuil ?

— Oui. Je suis amoureuse de lui. Je ne le lui dirai pas tout de suite, mais je vais le demander en mariage.

— T'es folle ?

— Non, je ne suis pas folle. Quand on est amoureux, on se marie, non ?

Clothilde et David échangèrent un regard gêné.

— Mais lui, il est amoureux de toi aussi ?

Juliette sourit.

— Sûrement. Il jouit quand je le touche. C'est un bon signe…

— …

— Bon, puisque vous ne vous couchez pas tout de suite, ça ne vous dérangera pas si je travaille mon violoncelle dans ma chambre ?

— Non. Ça ne nous dérangera pas. Bonne nuit.

— Bonne nuit.

David et Clothilde restèrent silencieux jusqu'à ce qu'ils entendent Juliette fermer sa porte.

Ils échangèrent un regard complice et ne purent s'empêcher de pouffer de rire.

La voix de Juliette leur parvint, de l'autre bout de la maison.

— Je vous entends…

David était abasourdi.

— Tu vas lui parler ? Elle ne peut quand même pas marier ce bonhomme !

— C'est Juliette. Elle sait ce qu'elle fait. Et puis, ils sont finalement assez bien assortis.

— Ses parents vont capoter !

— Je ne penserais pas. La mère de Juliette est assez spéciale dans son genre aussi.

— Vous êtes malades. Toutes. Et lui aussi.

::

Chez lui, Robert rassemblait son matériel pour l'audition du lendemain.

Son plan original était un peu foutu, mais, même s'il n'avait pas eu l'occasion de travailler avec David, il l'avait assez entendu chez lui pour remarquer certaines particularités de son jeu. Si David devait jouer sur un autre instrument, Robert avait bon espoir de le reconnaître. Pour Clothilde, cela ne serait pas un problème. Dans le doute, il arrêterait son choix sur elle.

Il savait que Yoyomaiden se donnerait en spectacle un peu plus tard au cours de la nuit, mais il avait déjà décidé de ne pas assister à la séance.

D'une part, il devait se reposer; d'autre part, la situation de Jasmine le préoccupait plus que jamais.

Depuis la scène qu'elle avait faite devant les jeunes, juste avant Noël, il avait compris que c'était fini.

Elle était silencieuse, taciturne. Une autre série de circuits semblaient s'être débranchés.

Elle errait dans l'appartement à petits pas, son petit sac à main contre sa poitrine.

Robert l'avait installée au piano à deux ou trois reprises, mais Jasmine regardait l'instrument comme si elle ne savait pas quoi en faire. Elle examinait les touches. En effleurait une ou deux. Se levait ensuite et allait s'asseoir ailleurs ou poursuivait son errance en se traînant les pieds.

Il l'avait entendue parler dans son sommeil. Gémir. Crier, parfois.

Et elle devenait incontinente.

Robert ne pouvait simplement plus en prendre soin. La tâche était devenue trop lourde.

Ne sachant trop vers qui se tourner, il avait appelé Claude, le policier mélomane, qui avait été si gentil le jour de l'accident. Un peu gêné, Robert avait prétexté des vœux du Nouvel An pour justifier son appel. L'agent Claude était content d'avoir de ses nouvelles. Puis, le jeune policier avait spontanément posé toutes les bonnes questions sur le progrès de la maladie de Jasmine sans que Robert ait à en prendre l'initiative.

Il rappela Robert quelques jours plus tard, avec des noms de personnes-ressources, des numéros de téléphone, un paquet de renseignements utiles pour que Robert puisse obtenir de l'aide à domicile ou choisir un lieu où Jasmine pourrait être prise en charge pour de bon.

Robert était reconnaissant. À telle enseigne qu'il ne put refuser de donner suite à la demande du policier qui espérait toujours visiter les coulisses de la salle de concert de l'orchestre.

Le moment n'était pas idéal, puisqu'il aurait déjà beaucoup à faire ce jour-là, mais Robert proposa à l'agent Claude de venir le rencontrer à la salle de concert le jour de l'audition. Il pourrait aussi revoir Jasmine, qui l'accompagnerait, car Robert ne voulait pas la laisser seule à la maison ou avec qui que ce soit d'autre.

# CHAPITRE 14

David et Clothilde eurent beaucoup de mal à se rendre à l'atelier de Sylvain.

Des centaines de personnes s'étaient rassemblées dans ce quartier de la ville pour manifester. Contre quelque chose. Tout était bloqué.

Partout, les manifestants criaient leur rage, mais il était difficile d'identifier avec certitude la cible de leur mécontentement. Les slogans qu'ils scandaient ou qu'on pouvait lire sur les pancartes qu'ils agitaient n'apportaient guère plus d'explications. Pour mettre de l'ordre dans tout ça, il aurait fallu être armé de grammaires, de liquide correcteur, de surligneurs et de dictionnaires. Les policiers auraient alors pu distribuer des contraventions pour fautes d'orthographe, manque d'imagination, clichés, méconnaissance de l'histoire, détournement de sens, tentative de corruption du langage, déversement illégal d'idées reçues et utilisation de métaphores excessives.

Malgré ces lacunes dans leur arsenal, les policiers, bien organisés, réussissaient à contenir les manifestants sans trop de difficulté, tout en les laissant s'exprimer. Et pour convaincre les plus récalcitrants, il y avait toujours le poivre de Cayenne ou les balles de plastique. La circulation demeurait très difficile dans le secteur. Par chance, l'horaire que les organisateurs avaient eu soin d'envoyer préalablement aux autorités prévoyait que le tout serait terminé avant le lunch, car il fallait tout de même aller travailler.

: :

Quand David ouvrit enfin la porte de La chanterelle, il fut surpris d'y trouver le vieux luthier Collin, qui manipulait un violon sous le regard attentif de Sylvain.

— Bonjour ! C'est prêt ?

Sylvain leva la tête.

— T'as vu l'heure ? Tu vas être en retard à ton audition !

— Sans blague. Si tu avais travaillé plus vite, on ne serait peut-être pas pris à la dernière minute comme ça…

— En tous cas, bonne chance ; t'as vu la foule de violonistes dehors qui attendent leur tour ?

— On ne dit pas bonne chance, on dit « merde »… ou on se tait.

— OK, je te dis « merde ».

David posa l'étui sur le comptoir et en sortit l'instrument que Sylvain lui avait prêté.

Sylvain s'en empara et se mit à l'examiner sous toutes ses coutures.

— Tu ne l'as pas brisé, au moins, celui-là ?

Clothilde en avait un petit peu marre.

— Messieurs, moi aussi, je vais être en retard si vous continuez à vous chercher des poux.

Sylvain devint tout sourire.

— Ah, c'est vrai ! Toi aussi tu passes l'audition ? Merde !

— Je crois que ça y est.

Monsieur Collin posa l'instrument sur le comptoir. C'était le Clio de David.

Sylvain fit les présentations.

— Vous connaissez monsieur Collin ?

Clothilde lui tendit la main. David fit de même.

— Oui, oui. Bien sûr. Comment allez-vous ?

— C'est votre violon, je crois, jeune homme ?

— Oui, je peux ?

David le prit dans ses mains. Il n'en revenait pas. Aucune trace de la réparation. Le violon brillait comme un neuf.

— Pas mal, non ?

David était sans voix.

Les deux luthiers le regardaient comme des parents admirent leur bébé.

— Allez, essayez-le.

David prit son archet, le tendit. Il posa son violon sous son menton. Il vérifia l'accord. Déjà, la sonorité bien connue le remplit de joie. Il prit une grande respiration et joua le premier accord arpégé du prélude de la première sonate pour violon seul de Bach. Le son riche, si familier, mais comme en mieux, remplit bientôt tout l'atelier, alors que David continuait la phrase de Bach qu'il avait amorcée.

Il s'arrêta pour regarder si c'était bel et bien son violon qui sonnait ainsi.

— Wow !

— Vous pouvez remercier votre ami Sylvain, jeune homme. Il a fait du très beau travail.

— Et vous, vous avez contribué aussi ?

— Oh, juste un petit ajustement à l'âme, à la demande de Sylvain. Je connais bien ces instruments. Ils ont un son très franc, mais ça prend parfois de petites nuances pour se rapprocher encore plus de la vérité…

Clothilde regardait sa montre.

— David ?

— Faut qu'on y aille. Sylvain, Monsieur Collin, merci. On se reparle après l'audition.

— Merde !

: :

La ville avait retrouvé son calme, si bien que David et Clothilde purent arriver à temps à la salle de concert.

On leur avait dit de se présenter à l'entrée des artistes.

— Bon. Ça y est.

— Ça y est.

— Merde.

— Merde à toi.

Ils échangèrent ce qui pouvait ressembler à un dernier baiser et ils entrèrent.

Une femme vint les accueillir. Elle leur demanda de s'identifier, vérifia les informations sur sa liste et leur donna à tous les deux le numéro par lequel ils seraient appelés quand leur tour serait venu.

Une loge fermée était mise à la disposition de chaque candidat pendant trente minutes pour se mettre en doigts avant le dernier appel, mais ils avaient aussi le loisir de se réchauffer dans le couloir qui menait à la porte des coulisses. C'est du moins ce que David et Clothilde constatèrent quand ils arrivèrent à proximité des loges.

Parmi la dizaine de violonistes qui se déchaînaient sur leur instrument, en gammes, en arpèges, en doubles cordes et en quadruples croches, Clothilde aperçut Marianne. Elle avait l'air très heureuse de les voir.

— Enfin ! Quelqu'un que je connais !

En fait, elle avait l'air complètement affolée.

— T'es nerveuse ? Nous aussi. Regarde, je tremble. Et David a la diarrhée.

David ne tenait pas à ce que son malaise soit ébruité de cette façon.

— Clothilde, franchement…

Il en profita tout de même pour obtenir un renseignement vital dans les circonstances.

— Elles sont où, les toilettes ?

Marianne lui saisit le bras

— Peux-tu me prêter ton violon ?

— Qu'est-ce qui se passe ? T'as oublié le tien ?

— Non, mais il est brisé. Hier soir. C'est une longue histoire. Mais ça me prend un violon !

— T'es folle ? Faut que je me réchauffe, moi aussi. Et les toilettes, elles sont où ?

— Tu ne peux pas me faire ça !

— Commence par me montrer les toilettes, on verra ce qu'on peut faire.

Clothilde intervint.

— C'est quoi, ton numéro ? Si tu passes après moi, je peux peut-être te prêter le mien. Mais qu'est-ce qui s'est passé ?

Marianne fondit en larmes.

David aperçut la femme qui les avait accueillis.

— Les toilettes ?

David s'enfuit alors dans la direction que la femme lui indiquait.

: :

Seule avec Clothilde, Marianne lui donna les grandes lignes de ce qui s'était passé, escamotant les détails les plus embêtants et s'arrêtant fréquemment pour sécher ses larmes et se moucher.

Clothilde n'écoutait que très distraitement de toute façon, aux prises avec sa propre nervosité et impatiente d'en finir avec Marianne pour enfin déballer son violon, se délier les doigts et tenter de trouver un peu de concentration.

Marianne avait travaillé son instrument jusqu'à très tard dans la nuit, dans le salon et avec la sourdine, pour ne pas déranger Annie qui s'était retirée dans la chambre un peu après onze heures.

Alors qu'elle prenait une petite pause, vers deux heures du matin, Marianne avait été surprise d'entendre de la musique qui provenait de la chambre.

Elle décida de vérifier si Annie était effectivement éveillée ou si elle s'était simplement endormie en écoutant de la musique.

Marianne s'était approchée de la chambre doucement, son violon et son archet à la main.

Dans l'embrasure de la porte, elle avait aperçu Annie, devant son ordinateur.

C'est du violoncelle que Marianne entendait maintenant distinctement, par-dessus un autre petit vrombissement familier.

Marianne avait ouvert la porte. Annie ne s'était pas retournée. Elle semblait très concentrée.

Intriguée, Marianne s'était approchée davantage.

Par-dessus l'épaule d'Annie, Marianne reconnut Juliette à l'écran. Les seins nus. Qui jouait du Boccherini.

Stupéfaction.

— C'est Juliette ?

Annie poussa un cri de terreur tout en s'éjectant littéralement de sa chaise à roulettes.

— AAAAHHH !

Dans un réflexe de défense, Annie lança de toutes ses forces à la tête de Marianne ce qu'elle avait à la main : un petit vibromasseur à piles, très efficace.

Celle-ci l'esquiva de justesse, mais le geste soudain lui fit échapper son violon, qui tomba bruyamment sur le plancher de bois de la chambre.

Une querelle s'en était suivie. Des pleurs. Des accusations. Des révélations, dont le nom de plume d'Annie — Dildoqueen — et celui de Juliette, qu'on connaît déjà. De vieilles blessures. Puis, de beaux souvenirs. Des explications. Des promesses.

Mais, à l'aube, le même désolant constat.

*Rrrrrrrr-toc. Rrrrrr-toc.*

Et une table d'harmonie décollée.

La réparation ne pourrait être effectuée avant l'audition. Il faudrait emprunter un violon.

: :

Dans les toilettes de la salle de l'orchestre symphonique, David se vidait autre chose que le cœur.

Mais on y arriverait sans doute bientôt, puisqu'après les intestins, l'estomac et le cerveau qu'il était certain d'avoir vu passer, ça continuait de couler avec une remarquable constance.

C'était un possible effet secondaire du médicament.

En entrant dans les coulisses, il avait aperçu la scène. Le tapis. Le lutrin, là-bas, là-bas. La lumière, terrible, aveuglante. David se demandait comment il pourrait effectuer la dizaine de pas qui devaient le mener jusqu'au lutrin. Les écrans derrière lesquels il devrait se produire tout à l'heure. La hauteur du plafond. L'écho.

Bien qu'encore assis sur la toilette, ses genoux tremblaient déjà.

« Qu'est-ce que je suis venu foutre ici ? »

Le plus terrible était sans doute le sentiment de nudité, de totale vulnérabilité que provoquait ce genre d'audition.

En comparaison, assis comme il était, les culottes aux chevilles, ses boyaux se tordant pour qu'en sorte toute trace de vie, mais tout de même à l'abri dans ce minuscule espace clos, David était dans une position très avantageuse.

Ce qu'il y a de particulier avec les traits d'orchestre, et David s'en était bien rendu compte en les travaillant, seul et avec Clothilde, c'est qu'en principe ils sont joués avec la protection de toutes les autres voix de l'orchestre. Mais sans le groupe, c'est comme un assaut de cavalerie auquel on aurait été convié à la mauvaise heure. On se présente sur le champ de bataille tout seul. Personne, même, pour dire : « OK, les gars, à l'attaque ! »

Non.

C'est une bataille très inégale.

D'un côté, un violoniste.

De l'autre, des adversaires terribles qui s'apprêtent à déployer tout leur arsenal d'armes chimiques, sournoises, silencieuses, dont on ne connaîtra les effets qu'après l'assaut.

Alors on se lance. Parce qu'il le faut. On compte une mesure dans sa tête. Et on attaque. Il faut imaginer les autres chevaux autour, même s'ils ne sont pas là; le général dont on attend les ordres, même s'il n'y en a pas; des cibles invisibles, qu'il faut atteindre au cœur. Il faut compter les mesures où on ne joue pas, où la partition indique qu'on doit se taire, parce qu'on est aussi jugé sur la précision de ses entrées et de ses sorties, du rythme des assauts et sur sa façon de se hisser sur un cheval qui passe au galop.

Et on s'est porté volontaire pour ce massacre.

David contempla la possibilité de ne plus sortir des toilettes. Il s'y sentait en sécurité. La porte était verrouillée, il était assis — dans les circonstances — confortablement, il y avait de l'eau tant qu'on en voulait. N'avait-il pas déjà lu quelque part qu'on pouvait survivre quarante jours en ne buvant que de l'eau ? Il y avait même de la lecture, un usager précédent ayant laissé là le cahier des sports du journal de l'avant-veille, bien plié derrière le distributeur de papier hygiénique. Après l'avoir lu, David pourrait même le manger, pour les fibres. C'était déjà un autre deux ou trois jours de survie. Les auditions seraient terminées bien avant. Franchement, sachant ce qui l'attendait dehors, il n'y avait pas de bonne raison de quitter cette oasis d'abondance et de tranquillité.

On frappa à la porte.

— David ? Tu es là ? Tu es dans les prochains à passer. Grouille !

Clothilde n'attendit pas la réponse. On venait de lui donner accès à la loge pour se réchauffer.

— Écoute, il faut que j'y aille. Merde !

— Merde, en effet.

David regrettait maintenant de s'être montré si confiant devant son père quand il lui avait annoncé qu'il aurait bientôt un poste à l'orchestre.

C'était le lendemain de Noël. À l'occasion d'un souper de famille. Excédé par les commentaires sarcastiques de son père et les comparaisons avec le cousin François, David avait voulu lui clouer le bec en lui affirmant que l'affaire était dans le sac.

Dans son refuge, David soupira.

« Quel imbécile... »

La tête dans les mains, les boyaux complètement vidés, il sentit le sang lui monter à la tête. Colère. Indignation. Un début de détermination ?

Soudainement résolu, il fit un petit ménage dans ses affaires, remonta son pantalon et se rendit au lavabo pour s'asperger le visage.

Dans le miroir, il s'exerça pendant quelques secondes à se fabriquer un regard de boxeur qui s'apprête au combat. Son faciès n'y ressemblait pas du tout. Trop sérieux. Il se fit plutôt quelques grimaces rigolotes. Et il sortit enfin.

: :

Robert et Jasmine étaient arrivés depuis un bon moment déjà.

Eux aussi avaient dû louvoyer dans les embouteillages causés par les manifestants. À bord du taxi qui les emmenait, Robert surveillait à tout moment les réactions de Jasmine.

Il s'énervait pour rien.

Jasmine était calme. Silencieuse.

Elle avait accepté sans rouspéter d'enfiler les vêtements que Robert avait choisis pour elle et étalés sur son lit.

C'était déjà étrange qu'il amène sa mère aux auditions, il avait préféré ne pas laisser Jasmine choisir sa tenue de peur qu'elle n'attire trop l'attention de ses collègues par ses déguisements farfelus. De même, il l'avait aidée à se coiffer et à se maquiller pour contenir ses excès. Elle s'était laissé faire de bonne grâce. Elle semblait même y trouver un certain plaisir, puisqu'elle souriait.

Arrivé sur place sans anicroche, Robert put commencer à respirer un peu. Mais il fallait tout de même rencontrer les deux autres collègues présents à l'audition qui jugeraient avec lui la performance des candidats.

Tout se passa très bien.

Elle n'était pas une totale inconnue. Peut-être moins vivante qu'elle ne l'avait déjà été, sa légende avait tout de même été perpétuée par les anecdotes dont les musiciens sont friands, et passée des plus vieux aux plus jeunes.

On ne l'avait plus vue depuis longtemps, mais Jasmine demeurait l'objet d'une certaine curiosité, sinon d'un respect attribuable à son parcours de musicienne qui avait fait sa marque à une autre époque.

C'est ce que Robert constata en la présentant à ses deux collègues, qui les accueillirent tous les deux avec beaucoup d'égards. Bien davantage que si Robert était arrivé seul, pensa-t-il. On s'informa même de l'état de ses blessures et de son moral, étant donné cette fâcheuse situation. Robert en fut bien étonné.

Les trois juges ne devaient pas être assis ensemble, pour éviter de s'influencer les uns les autres en cours d'audition, mais il était convenu qu'ils compareraient leurs notes après les performances pour faire le point et décider du vainqueur. En cas de mésentente, ils s'étaient donné la possibilité de réentendre deux ou trois finalistes.

Il était aussi convenu que, s'ils devaient s'adresser au candidat pour quoi que ce soit, leur message devait être relayé par la responsable de scène qui avait accueilli David et Clothilde à leur arrivée. C'est également de cette façon que les candidats devaient fonctionner s'ils avaient quelque demande ou commentaire à formuler aux juges en cours de route. Ils devaient attirer l'attention de la dame en question, lui chuchoter ce qu'ils avaient à dire — par exemple : « Je désire reprendre le Smetana, si les juges le permettent » ou « Ma corde de *mi* vient de casser. Puis-je prendre une pause de trois minutes pour la changer ? » — et la dame transmettrait la question aux juges de l'autre côté des écrans, dans la salle. Tout cela, évidemment, pour sauvegarder le plus possible l'anonymat de l'opération.

Robert installa Jasmine au bout d'une rangée, à peu près à mi-chemin de la scène. Il prit le siège suivant, à l'intérieur de la rangée, ce qui lui laissait plus de place pour étaler ses affaires.

La responsable de scène sortit de derrière les écrans pour demander aux juges s'ils étaient prêts à commencer. Ce à quoi les trois hommes acquiescèrent.

Elle annonça le numéro d'un premier candidat.

Le choix et l'ordre des traits avaient été établis d'avance entre les juges.

Robert avait fourni cette information à Clothilde à l'occasion de leur ultime rencontre, sans lui mentionner qu'il s'agissait d'un secret, bien sûr, mais en lui disant qu'elle et David auraient avantage à se concentrer sur cette série de traits qui, d'après son expérience, risquaient d'être ceux qu'on demanderait de jouer à l'audition.

C'était un avantage certain, car on pouvait gaspiller beaucoup d'énergie à travailler la quinzaine de traits alors que seulement la moitié d'entre eux seraient effectivement demandés.

::

Le premier candidat fit très bonne figure.

Solide, articulé, musical. Vibrato un peu large, peut-être, mais sinon, pas mal du tout, dans l'ensemble.

Le deuxième semblait nerveux. Il prit de longues minutes avant de commencer. Puis, quand il se lança finalement dans les premières mesures de *Don Juan*, on entendit son archet qui sautillait sur la corde, un effet vraisemblablement causé par des spasmes ou des tremblements. Le candidat s'interrompit en plein milieu. Et on n'entendit plus rien pendant un bon moment.

Les juges demandèrent des explications à la responsable de scène.

— Le candidat numéro vingt-huit a dû quitter la scène pour vomir. Vous pouvez lui accorder quelques minutes ?

Robert consulta ses collègues du regard.

Ils étaient d'accord.

— D'accord. Cinq minutes.

Robert jeta un coup d'œil à Jasmine.

— Ça va, maman ?

Elle était assise bien droite. Elle serrait son petit sac à main sur son ventre. Elle semblait calme et reposée.

Au même moment, Robert sentit qu'on lui tapotait l'épaule.

— Monsieur Dubreuil ?

Robert se retourna.

L'agent Claude et son partenaire Bernie étaient là, debout, en équipement anti-émeute. Ils semblaient prêts pour le combat. Casque à visière, gants, matraque, ceinture remplie de bonbonnes, de menottes et d'armes de toutes sortes.

Claude vit la surprise dans le regard de Robert.

— Excusez l'accoutrement ! On était de service ce matin, pour les manifestations.

Robert avait toujours l'air aussi perdu.

— Vous m'aviez donné rendez-vous ? Ce matin ? Pour visiter ?

Robert se ressaisit.

— Ma foi, c'est vrai. Excusez-moi. Ça m'était sorti de la tête. Comment êtes-vous entrés ?

L'agent Bernie dégaina sa matraque en faisant un grand sourire.

— Par la force !

Claude leva les yeux au ciel.

— Bernie, *come on*. Arrête tes niaiseries. J'ai dit à la demoiselle à la réception qu'on avait rendez-vous avec vous, Monsieur Dubreuil.

Les agents saluèrent Jasmine, qui les regardait.

— Bonjour Madame Dubreuil.

— B'jour Madame.

— Maman, tu te souviens de Claude et Bernard ? Ils sont déjà venus à la maison. Tu leur as joué du piano.

Jasmine leur fit un sourire.

Robert les invita à s'asseoir.

— On en a pour un moment avant que vous puissiez vous rendre en coulisses. Les auditions viennent de commencer. Vous pouvez revenir plus tard si vous voulez...

Les agents échangèrent un regard.

— Non, on a tout notre temps. On aimerait bien rester, si ça ne dérange pas.

— Pourquoi les écrans sur le *stage* ? demanda l'agent Bernie.

— Ce sont des auditions pour me remplacer, à cause de mes blessures. Les violonistes passent un par un, derrière, pour jouer des bouts. On les écoute et on essaie de trouver le meilleur.

— Vous ne pouvez pas les voir ?

— Non, non. Juste les entendre.

— *Cool...*

La responsable de scène réapparut.

— Le numéro vingt-huit est prêt pour la suite.

L'agent Claude prit un siège. Bernie resta debout. Il mettait les pieds dans cette salle pour la première fois. Il semblait fasciné par le lieu.

— C'est vraiment *sharp* ici.

— Chut, Bernie. Ça commence.

Le candidat numéro vingt-huit reprit son audition. Il devait avoir vomi sa nervosité, car il donna une performance beaucoup plus assurée que ce qu'il avait laissé entrevoir précédemment.

Robert trouvait cependant qu'il jouait trop fort partout. C'était peut-être à cause des tremblements de nervosité du début. Il était plus facile de contrôler un archet chevrotant en jouant très fort que *pianissimo*. Sauf que, pour les besoins de l'audition, c'était une faute, là où la partition demandait de jouer tout doux.

Le suivant était carrément mauvais. Il prenait les *tempi* rapides beaucoup trop lentement, sans doute pour se laisser une chance dans les passages difficiles. Il faisait l'inverse avec les lents, les jouant trop rapidement et sans musicalité. Il ne serait dans les finalistes d'aucun des juges présents. Facile à éliminer tout de suite.

::

Après cinq violonistes, Robert n'avait toujours pas reconnu Clothilde ou David et il n'avait pas vraiment de doute qu'il ait pu se tromper.

À ses côtés, Jasmine semblait toujours également sereine. Elle ne bougeait pas. Ne faisait pas de commentaires. Robert l'entendit bien fredonner tout doucement les passages qu'elle reconnaissait pendant que les violonistes s'exécutaient sur la scène, mais c'est tout. Cela se déroulait beaucoup mieux que ce qu'il avait pu craindre.

On annonça le candidat numéro neuf.

::

L'agent Claude se sentait privilégié de vivre cette expérience. Amoureux de la musique, il avait l'impression d'avoir accès à ses entrailles, dans ce lieu magnifique, si différent sous ce jour, sans la foule. Sans compter que ce qu'il entendait, ces traits d'orchestre, nus, hors contexte, imprévisibles, suscitaient en lui les mêmes sensations que les plus abstraites des plus audacieuses musiques des compositeurs contemporains qu'il affectionnait.

Dans les moments de silence que la partition exigeait, quand le violoniste sur scène comptait les pulsations ou les mesures pour lui-même, la clameur des manifestants du matin lui revenait en tête. Puis le tumulte se confondait avec le trait, désincarné, qui provenait de la scène, qui tournait autour de sa tête, lui entrait dans la poitrine. Il fermait les yeux. Il n'y avait rien à voir, tout à entendre. Il était heureux.

Le candidat numéro neuf venait de commencer à jouer.

L'agent Claude se laissa de nouveau envoûter par la musique. Il reconnut quelque chose de Schubert.

Cet instrument avait une belle sonorité. Riche. Forte.

L'agent Claude n'était pas lui-même musicien, mais il avait appris à reconnaître la différence entre jouer juste et jouer faux. Ce qu'il entendait maintenant le rendait inconfortable. Il lui sembla que le candidat numéro neuf ne jouait pas très juste. C'était surprenant, dans le contexte de cette audition.

Son malaise le sortit de sa rêverie. Il sentit, plus qu'il n'entendit, des pas précipités derrière lui.

Puis un cri. Animal.

— RODRIIIIIIIIIIIIIIIIGUE!!!!!!

Jasmine Dubreuil courait vers la scène, en hurlant.

Elle avait à la main quelque chose qui brillait, une lame, un couteau…

Elle franchit en deux enjambées les premières marches qui menaient à la scène.

— SALAUD!!

Elle eut le temps de poignarder la toile de l'écran à deux reprises, avant que celui-ci ne tombe.

Au même moment, au milieu de l'allée centrale, l'agent Bernie, un genou par terre, fusil au poing, tirait une balle de plastique vers le sol — comme on le lui avait appris à l'institut de police — en direction de Jasmine.

La pente descendante de la salle fit ricocher le projectile de plastique derrière la tête de Jasmine alors que l'écran tombait sur

Marianne qui tentait de l'éviter en reculant, la balle poursuivant sa trajectoire jusqu'en plein milieu du front de la violoniste.

Assommée, Marianne chancela sur place une seconde.

La responsable de scène, tout près, eut la présence d'esprit de lui retirer son violon avant que Marianne ne s'effondre finalement au plancher, K.-O., son archet encore dans la main.

Par l'embrasure des coulisses, David vit son violon dans les mains de la dame.

« Fiou ! » pensa-t-il.

# CHAPITRE 15

Clothilde avait fait le trajet en ambulance avec Marianne. Elle avait prévenu Annie. L'appel avait été bref. Juste le temps de lui raconter en vitesse l'incident, de la calmer un peu, de répondre à deux ou trois questions. De lui dire que ça ne semblait pas trop grave.

Madame Dubreuil avait eu une crise. Elle avait attaqué l'écran séparateur alors que Marianne passait son audition. Non, pas son violon, elle avait le violon de David. Un policier a tiré. Non, une balle de caoutchouc ou de plastique. Non, c'est madame Dubreuil qu'il visait. Oui, la balle a ricoché. Oui, dans le front. Oui, dans les pommes. Non, elle est revenue à elle. En ambulance. Non, encore aux urgences.

Annie s'était mise à pleurer.

— C'est ma faute ! C'est ma faute ! Qu'est-ce qu'elle faisait là, encore, cette vieille folle ? Oh non, c'est ma faute !

Elle arriverait dès que possible. Dans un quart d'heure tout au plus.

: :

Dans l'autre ambulance, il y avait Jasmine. Robert l'accompagnait. Les policiers Claude et Bernie suivaient.

Ça n'allait pas bien du tout.

La crise, la chute, la blessure à la tête…

Les ambulanciers faisaient ce qu'ils pouvaient, mais ils ne semblaient pas parvenir à la réanimer. Le cœur faisait des siennes.

Robert assistait, impuissant, aux manœuvres de l'infirmier.

À l'urgence de l'hôpital, l'agent Claude donna le plus de détails possible sur les circonstances de l'incident à l'infirmière de garde qui les accueillit. Les ambulanciers lui avaient déjà donné tout ce dont ils disposaient sur l'état de madame Dubreuil : les signes vitaux, ce qu'ils avaient administré, ce qu'ils avaient observé. Ils avaient des raisons de croire qu'elle s'était fracturé la hanche en tombant. Le cœur vacillait. Elle semblait avoir repris connaissance entre-temps, mais c'était hasardeux, étant donné le peu de moyens dont Jasmine disposait encore. Il fallait avant tout la stabiliser.

Robert signa toutes sortes de formulaires. Répondit aux questions qu'on lui posait sur la santé de sa mère. Oui, Alzheimer. Oui, avancé. Le nom du docteur qui la suivait. Cette sorte de choses. Un tourbillon.

Il était perdu.

Une musique jouait dans la tête de Jasmine. L'adagio du *Concerto pour piano* de Ravel, en *sol* majeur. La pièce jouait en boucle depuis ce matin. Jasmine s'était réveillée avec cette musique, devenue la trame sonore de la journée. La conscience de Jasmine n'était revenue que pour emballer ses dernières boîtes ; elle s'apprêtait à remettre les clés du logis au propriétaire qui se tenait, tranquille, sur le pas de la porte.

C'est le Ravel qu'elle entendait toujours lorsqu'elle s'était assise aux côtés de Robert, dans cette grande salle. La pulsation de cette valse, lente, digne, cette douce mélodie, dominait tout.

Même quand elle avait reconnu la voix, de ce violon qu'elle avait si bien connu, enfouie profondément dans sa mémoire auditive et dans sa chair, ce sont encore les notes de Ravel qui jouaient en elle. Elle n'avait été que la spectatrice. Témoin muet et immobile de sa rage, de son cri, de sa course, et des coups qu'elle avait portés contre ces moulins qui la séparaient de ce qu'elle croyait être la source de son malheur.

Elle n'avait qu'assisté à la scène. Elle en était détachée. C'était indépendant de sa volonté. Mais Jasmine devinait bien la vieille tristesse qui avait dû l'animer pour ainsi se jeter dans le vide.

« Nous avons tous une trame sonore », pensait-elle.

Une partition.

Des modulations. Des dièses, des bécarres et des bémols, qu'on appelle aussi « accidents », lorsque l'existence rencontre un de ceux-ci hors de la tonalité annoncée.

Sa vie aura été atonale.

: :

Robert appela Juliette, pour qu'elle vienne le rejoindre. Clothilde venait tout juste de la prévenir. Elle était déjà en route.

: :

Clothilde restait au chevet de Marianne, en attendant Annie.

Quand elle arriva enfin, une infirmière s'affairait à bander la tête de Marianne.

— Marianne, Marianne, bébé, je suis là, mon amour.

— Elle est encore dans la brume, mademoiselle. On lui a donné un sédatif.

— C'est ma faute, c'est ma faute… Si je n'avais pas… Son violon…

Clothilde la prit dans ses bras.

— Allons, allons. Ça va bien aller, ne t'en fais pas. Marianne m'a raconté ce qui s'était passé hier soir… Ce sont des choses qui arrivent…

— Elle t'a raconté quoi ? Quand ?

Clothilde ne voulut pas ajouter au désarroi de son amie.

— Ben… qu'elle a échappé son violon par terre ? C'est ça ?

— Oui, en gros… C'est ça… Mais je crois que c'est moi… C'est à cause de moi…

Clothilde la sortit de son embarras.

— Ça t'a pris du temps ! Ça fait une heure que je t'ai appelée !

— Je sais, je sais. J'ai fait le plus vite que j'ai pu, mais j'ai un peu engueulé la réceptionniste quand je suis arrivée. Elle a appelé un gardien de sécurité. Il m'a fait attendre…

— Pourquoi tu l'as engueulée ?

— J'ai voulu savoir si madame Dubreuil était ici aussi. J'ai peut-être dit que je voulais la tuer, quelque chose comme ça… J'étais énervée…

— Je vois. Oui, elle est ici, quelque part. Robert aussi. Je pense qu'elle ne va pas très bien.

— Tant mieux.

— Annie !

— Annie ?

Marianne sortait tranquillement des brumes.

Annie tassa Clothilde du coude et se précipita sur le lit de Marianne.

— Mon chou, mon bébé, c'est moi. C'est ton Annie. Je suis là.

— Allô.

— Est-ce que tu me pardonnes ?

— Bien sûr que je te pardonne, mon coco.

L'infirmière dut les interrompre pour ajuster les bandages de Marianne.

— On va la garder en observation pour quelques heures, par précaution. Elle pourra sortir ce soir ou demain.

Marianne se tourna vers l'infirmière.

— Et l'audition ?

Annie regarda Clothilde.

— Je pense que ça va être reporté. Je ne sais pas trop. Ils ont tout arrêté. Je n'étais pas encore passée. David non plus.

— C'est vrai, il est où, lui ? Pourquoi il n'est pas avec toi ? Pourquoi il n'est pas avec Marianne ? Ne me dis pas qu'il est avec les deux cinglés Dubreuil ?

— Non, non. Il est retourné à la maison. Chez nous.

— Chez vous ?

— Oui, on habite ensemble. Chez nous.

— Ah bon.

: :

David avait en effet préféré ne pas accompagner les filles à l'hôpital. Il ne pensait pas y être d'une grande utilité. Et puis, Clothilde serait là, elle.

Juliette était déjà partie quand il était entré dans l'appartement. Il avait trouvé une note sur la petite table de l'entrée.

« Clothilde m'a prévenue. Je pars à l'hôpital. *Bisoux.* »

— Bijoux, hiboux, choux, genoux, cailloux, poux… Non, ça ne prend pas de *x*.

Il reposa la note. Il alla tout droit au salon et déballa son violon. Il avait hâte de le revoir. Il avait failli le perdre, encore une fois.

David prit son instrument. Il le tourna de tous les côtés. Il était intact. Il remarqua de nouveau combien Sylvain avait fait du beau travail.

Est-ce qu'elle avait vraiment crié « Rodrigue » ? Des coulisses, il n'avait pu bien entendre. Rodrigue. Comique.

David eut une pensée pour son grand-oncle qui lui avait laissé ce violon.

Il ne l'avait pas vu très souvent. Ses visites étaient rares. Elles ne duraient jamais longtemps. Il voyageait d'un pays à l'autre. Toujours parti. Insaisissable.

David prit son archet. Accorda son instrument.

L'entraînement intensif qu'il avait entrepris quelques semaines plus tôt, en vue de l'audition, avait été bénéfique.

Il avait retrouvé ses doigts. Tous ses moyens. Davantage encore.

Plus jamais il ne laisserait sa technique se détériorer. C'était trop bête.

Et ce poste, il l'aurait. Il était absolument déterminé.

Pas pour son père. Pas pour la sécurité. Pour lui. Parce qu'il voulait faire de la musique tous les jours. De la musique exigeante. Avec des professionnels. Pour un public attentif. Parce qu'il aimait le sentiment que procurait la maîtrise de son instrument. La sensation physique de l'effort. Celle des sons qui en résultent. L'infinie variété de ceux-ci. L'étrange sentiment aussi de n'être qu'un maillon de cette chaîne mystérieuse, qui aboutit à cette expression immatérielle. Devenir le transmetteur d'une partition. À travers ses propres yeux, ses mains, le bois de son instrument, l'arbre dont il avait été extrait, la terre où il avait poussé, le luthier qui en avait fait un violon, les crins de son archet, le frottement de celui-ci sur ces cordes, tendues, tendues, le temps qui passait, qui restait suspendu, dans ces vibrations qui venaient de si loin, qui jaillissaient enfin, qui pouvaient marquer, toucher, attendrir, séduire, déranger.

Ce n'est toutefois pas en ces termes que le sentiment s'articulait dans sa tête. David n'utilisait jamais tant de mots.

Mais la musique le rendait heureux.

: :

Presque deux heures s'étaient écoulées quand Clothilde revint à l'appartement. David avait travaillé sans arrêt. Les traits, son concerto de Mendelssohn qu'il avait maintenant reconquis, des partitas, des gammes… Tout à sa musique, il ne l'entendit pas rentrer.

Elle se faufila doucement jusqu'au salon.

Il sentit le plancher craquer. David comprit que Clothilde était revenue, mais continua à jouer. Le parfum familier et délicat de sa présence parvint à ses narines. Il l'entendit retourner à la cuisine. Il continuait toujours à jouer. Il profita de son absence momentanée pour entamer du début la Chaconne, de la deuxième partita en *ré* mineur. Il la vit revenir, un verre de vin à la main, et s'installer sur le canapé, devant lui. Il joua pour elle. Il lui dit beaucoup de choses, ainsi, qu'il n'aurait pas su exprimer autrement. À propos de lui, à propos d'elle, de ce qu'il avait vécu aujourd'hui, dans les derniers mois, de ce qu'il espérait pour demain…

Elle aima beaucoup ce qu'elle entendit. Des larmes de bonheur montèrent dans les beaux yeux de Clothilde. Elle lui sourit. Il fit de même. Il joua les dernières notes de la Chaconne. Ils restèrent silencieux, dans cette position, à se regarder, à respirer.

: :

On avait maintenant installé Jasmine dans une chambre de l'hôpital. Juliette et Robert étaient assis côte à côte, main dans la main, surveillant la respiration de Jasmine. On l'avait branchée sur toutes sortes de machines. Robert était très inquiet. Avec raison, lui avait-on dit.

Juliette avait apporté un petit haut-parleur portatif sur lequel elle pouvait brancher son iPod. Même si elle était partie en vitesse, elle avait eu la présence d'esprit de se munir de quoi écouter de la musique, au cas où.

Elle avait bien fait.

Par instinct, elle choisit l'adagio du *Concerto pour piano* de Ravel, en *sol* majeur. Elle fit en sorte que la pièce joue en boucle, pour ne plus avoir à y penser.

Elle revint s'asseoir aux côtés de Robert et reprit sa main dans la sienne.

— Tu es très inquiet ? As-tu peur ?

Robert était inquiet, en effet, mais il n'aurait pas su dire pourquoi, exactement. Il n'était pas triste. Cette ultime manifestation de folie de sa mère l'avait sonné. Il était étonné de la vigueur avec laquelle elle s'était jetée en avant, en courant, en criant…

Ça l'avait dégoûté.

Mais il sentait qu'elle s'en allait.

: :

Jasmine rêvait.

C'était lui. Cela ne pouvait être que lui. Ce violon. Un costaud, mais élégant, comme lui. Cette voix, si particulière, qu'elle n'avait plus jamais entendue. Depuis cinquante années. Ce Jules Leclais qu'il avait acheté la journée même, chez un luthier du boulevard Raspail, dans le 6ᵉ. Il l'avait déballé devant elle, les yeux remplis d'espoir, comme un enfant qui montre à sa mère le dessin qu'il a fait à son intention. Comme un chat qui déposait à ses pieds un oiseau qu'il avait tué, pour lui faire plaisir. Une offrande. Un gage.

« C'est pour faire de la musique avec toi », avait-il dit.

Il n'était pas très doué. Il jouait faux. Ça la faisait rire.

Il avait l'air si sérieux, autrement. Mais avec un violon dans les mains, il devenait vulnérable. Ça la rassurait.

Ils s'étaient rencontrés dans le métro. Madeleine. Elle pleurait. Comme trop souvent. Parce que les hurlements dans sa tête étaient douloureux. Parce qu'elle était seule.

Ses larmes étaient irrésistibles. Il s'était approché. Lui avait offert son mouchoir.

Il s'appelait Rodrigue. Oui, il avait du cœur, s'était-il empressé d'ajouter.

Elle ne s'était pas méfiée de la formule.

Il était « dans la diplomatie ». Comme elle, il n'était pas chez lui. Elle l'avait deviné à son accent. Ça l'avait surpris. Il parlait cinq langues. Impeccables. Sa vie en dépendait.

« J'ai l'oreille », avait-elle dit, alors que la source de ses larmes semblait s'être tarie. « Je suis pianiste », avait-elle ajouté.

Il l'avait emmenée chez Fauchon. Ils avaient bu du thé et grignoté des madeleines, pour rire de la situation et pour faire remonter les souvenirs.

Il lui avait parlé de tous les pays et de toutes les villes qu'il avait visités, où son travail l'avait envoyé, où on l'enverrait encore.

Jamais, jamais, il n'avait vu de si beaux yeux.

— Voulez-vous m'épouser ?

Elle l'avait cru.

— Mais vous n'êtes pas musicien...

— Je suis violoniste, non pratiquant...

Ils étaient allés chez elle, rue du Bac. Ils y avaient passé la nuit.

Il avait dû partir, « en mission », disait-il. Il écrirait.

Tous les matins, pendant un mois, elle avait dévalé les six étages en courant, jusqu'à la loge de la concierge. Rien. Le soir, en rentrant du Conservatoire. Rien.

— Mais voyons, Mademoiselle Jasmine, c'est le matin qu'y passe, le facteur...

Puis, Rodrigue était débarqué, un soir de novembre, avec ce violon.

Ils avaient joué du Schubert jusqu'à minuit. Il faussait. Elle riait. Elle l'aimait.

Ils s'étaient vus régulièrement, par la suite. Il partait de temps en temps, « en mission », mais il revenait toujours. Et ils faisaient de la musique.

Elle préparait le concours au Conservatoire. Elle profitait des absences de Rodrigue pour redoubler d'ardeur, s'approfondissait, s'abandonnait complètement dans sa musique. Elle s'y épuisait.

Elle repoussait toutes les avances, refusait toutes les invitations, pas toujours poliment. Elle était promise. Fiancée. À un diplomate.

Rodrigue avait promis d'assister à son récital de concours. Il devait rentrer la journée même d'un autre de ses importants voyages.

Il n'y était pas venu.

Elle était dévastée.

Malgré sa peine, elle avait rassemblé ses forces et avait fortement impressionné les juges qui lui avaient donné un premier prix avec grande distinction.

Une semaine plus tard, elle restait sans nouvelles.

Un accident ?

Elle avait fait toutes sortes de démarches pour le retrouver.

Finalement, à l'ambassade, on lui avait confirmé que oui, il y avait bien un Rodrigue Hardy au sein du personnel. Mais on lui avait souri lorsqu'elle avait mentionné qu'il était diplomate, peut-être en mission, qu'elle devait absolument le joindre, où qu'il soit, que c'était une question de vie ou de mort.

Elle le trouva enfin, deux rues plus loin. Il tenait une jeune fille par la main. Jasmine le vit l'embrasser.

Elle n'eut pas la force de les confronter.

Elle marcha en pleurant. Jusqu'à la Madeleine. Elle descendit dans la station et se jeta devant le métro.

Quand elle se réveilla, elle était à l'hôpital.

Le métro l'avait frappée, mais elle n'était pas passée sous les roues. Elle s'était tout de même assommée en retombant. On lui apprit aussi qu'elle était enceinte.

Rodrigue avait su qu'elle était venue le voir à son bureau. Honteux d'avoir ainsi été découvert, il lui fit parvenir une lettre laconique. Il s'excusait, mais il lui demandait de ne plus chercher à le joindre. Elle n'en avait de toute façon aucune intention.

Il ne lui reparla plus jamais.

Après sa convalescence, et enceinte de six mois, Jasmine rentra au pays. Elle voulait donner naissance à ce bébé, mais elle ne le garderait pas.

C'était une fille.

Elle fut tout de suite confiée à l'adoption.

: :

Le téléphone sonna chez Clothilde.

— Oui ?

— C'est Juliette.

Jasmine était morte tout à l'heure. Elle avait poussé son dernier soupir dans le trille de la fin de l'adagio de Ravel.

# CODA

Quelques jours plus tard, l'église était remplie de vieux musiciens. La nouvelle du décès de Jasmine s'était vite répandue dans la communauté musicale retraitée.

Dans le jubé, Annie et Juliette faisaient la basse continue pour accompagner David et Clothilde qui jouaient le deuxième mouvement du *Concerto pour deux violons en ré mineur*.

Ils y mirent tout leur cœur.

D'où ils étaient, ils pouvaient voir toutes ces têtes blanches, ou chauves, de tous ces bonshommes qui avaient connu Jasmine. Peut-être que le père de Robert s'y trouvait, mais on ne le sut pas, sans doute parce que le géniteur ne devait pas le savoir lui-même.

Après le Bach, Juliette redescendit auprès de Robert.

Pendant la communion, David jouait le mouvement lent de *L'Hiver*, de Vivaldi.

Juliette se pencha sur l'oreille de Robert.

— Ça va ?

— Oui. Je crois que ça va aller.

— Est-ce que tu voudrais me marier ? On est déjà à l'église, il y a un prêtre, tous nos amis sont là…, ta famille aussi, en quelque sorte…

Robert n'eut pas à réfléchir bien longtemps.

— Je pense que c'est une excellente idée.

Robert se leva et s'approcha du prêtre pour lui dire un mot à l'oreille.

Ils discutèrent ainsi pendant quelques minutes. Juliette alla les rejoindre.

Un malaise parcourait l'assistance.

Le prêtre acquiesça à la demande à la condition que personne ne s'y oppose.

Personne n'osa.

L'organiste entama les premières notes de la marche nuptiale.

Clothilde prit la main de David.

— C'est romantique, non ?

— C'est peut-être romantique, mais moi j'avais juste le temps pour des funérailles. Si ça continue, je vais être en retard à ma répétition.

Annie s'immisça dans leur conversation.

— Toi, compte-toi chanceux que Marianne soit encore amochée, sinon, c'est elle qui l'aurait eu, le poste.

— Annie, sois donc de meilleure humeur pour tes amis, franchement.

— Alors, t'es content, au moins ?

David ne répondait pas.

— Qu'est-ce qu'il y a ? Le répertoire du concert est trop difficile pour toi ? C'est ça ?

— Non, ce n'est pas ça…

Clothilde intervint.

— C'est un concert-bénéfice. L'orchestre accompagne les chanteurs de *Star Académie*. Et puis, il faut que les musiciens portent un chandail de hockey.

Annie ne put s'empêcher de pouffer.

— Bienvenue chez les professionnels, David !

— Ta gueule.

— Taisez-vous donc, tous les deux. Le prêtre achève. Robert et Juliette vont bientôt s'embrasser !

— Qu'est-ce qu'on joue pour la sortie ?

Annie fouillait déjà dans ses partitions.

— *Le Printemps* !

— Vivaldi ?

— Non, crétin, les quatre saisons de David Hardy !

— Mais on n'a pas de violoncelle !

— Tu ne vois pas qu'elle est occupée ?

Le grand moment était arrivé.

Au signal de David, la lumière du *Printemps* illumina toute l'église.

La vie de Robert Dubreuil pouvait enfin commencer, sous les applaudissements.

: :

Dans la voiture qui les ramenait à l'appartement, Juliette embrassait encore son nouveau mari.

— Veux-tu des enfants ?

Robert devint songeur.

— J'aimerais beaucoup ça, oui, mais je ne suis pas sûr que ce soit une bonne idée que je me reproduise. Même avec une femme aussi formidable que toi.

— Ça tombe bien, moi je voudrais adopter des petits orphelins. C'est pour ça que je ramasse mes sous et que je me montre toute nue. Ça coûte cher, les gamins.

— Mais pourquoi adopter ? Tu es toute jeune !

— C'est un vieux rêve. Ma mère, que j'adore, était orpheline. Et elle est formidable. Je suis sûre que tu vas l'aimer.

— Comme une sœur, je te le promets.

— On lui a dit que sa mère biologique était musicienne, comme la tienne. Elle ne l'a malheureusement jamais connue.

— Eh bien, ça nous fera déjà ça en commun.

# RÉFÉRENCES MUSICALES

**Chapitre 1**

- Henry Purcell, *Music for a While from Œdipus*, Z. 583.

**Chapitre 2**

- Wolfang Amadeus Mozart, *Sérénade n° 13 en sol majeur « Eine kleine Nachtmusik »*, K. 525.
- Jean-Sébastien Bach, *Variations Goldberg*, BWV 988, aria (retranscription pour trio à cordes).

**Chapitre 3**

- Robert Schumann, *Fantasiestücke, op. 73.*
- Gabriel Fauré, *Après un rêve* (Trois mélodies, op. 7, n° 1).
- Jean-Sébastien Bach, *Sonates et Partitas pour violon seul,* BWV 1001–1006 (*adagio* de la première sonate pour violon seul).

**Chapitre 4**

- Félix Mendelssohn, *Concerto pour violon en mi mineur, op. 64,* 1er mouvement, *allegro molto appassionato.*
- Franz Schubert, *Der Tod und das Mädchen, op. 7, n° 3,* D. 531 (en français, *La jeune fille et la mort*).

**Chapitre 5**

- Ludwig van Beethoven, *Sonate pour violon n° 5 en fa majeur, op. 24* (Le printemps).
- Franz Liszt, *Trois études de concert*, S. 144, étude n° 3, *un sospiro.*
- Domenico Scarlatti, *Sonate en mi majeur*, KV. 380.

**Chapitre 6**

- Jean-Sébastien Bach, *Cantate* BWV 106, *Gottes Zeit ist die allerbeste Zeit.*
- Ludwig van Beethoven, *Sonate pour piano et violon n° 9 en la majeur, op. 47* (dite « à Kreutzer »).

**Chapitre 7**

- Piort Ilitch Tchaïkovski, *Casse-Noisette, op. 71, 1.* « Ouverture miniature ».

**Chapitre 8**

- Félix Mendelssohn, *Romance sans paroles, pour violoncelle et piano, op. 109, en ré majeur.*
- Paul Bazelaire, *Suite française, op. 114* (Berceuse populaire française).

**Chapitre 9**

- Franz Schubert, *Sonatine pour violon et piano en ré majeur,* D. 384.

**Chapitre 10**

- Jean-Sébastien Bach, *Sonate n° 2 pour violon seul en la mineur,* BWV 1003, 3e mouvement, *andante.*
- Georg Friedrich Haendel, *Water Music,* suite n° 1 *en fa majeur,* HWV 348, *Hornpipe* (variante).
- Arcangelo Corelli, *Concerto n° 8 en sol mineur* (*Fatto per la notte di natale/fait pour la nuit de Noël*), 1er mouvement, *vivace–grave.*

**Chapitre 11**

- Henri Wieniawski, *Polonaise brillante nº 2, op. 21.*
- Ludwig Van Beethoven, *Symphonie nº 7 en la majeur, op. 92.*

**Chapitre 12**

- Robert Schumann, *Quintette pour piano en mi majeur, op. 44,* 2e mouvement, *in modo d'una marcia, un poco largamente.*
- Henry Purcell, *Music for a While from Œdipus*, Z. 583.

**Chapitre 13**

- Franz Schubert, *Sonate en la mineur,* D. 821, pour arpeggione et piano.
- Wolfgang Amadeus Mozart, *Quatuor à cordes nº 19 en do majeur,* K. 465, 1er mouvement (Les Dissonances).

**Chapitre 14**

- Richard Strauss, *Don Juan, op. 20*, poème symphonique.

**Chapitre 15**

- Maurice Ravel, *Concerto en sol majeur pour piano et orchestre*, M. 83, 2e mouvement, *adagio assai.*
- Jean-Sébastien Bach, *2e Partita en ré mineur pour violon seul,* BWV 1004, 5e mouvement, chaconne.

**Coda**

- Jean-Sébastien Bach, *Concerto pour deux violons en ré mineur*, BWV 1043, 2e mouvement, *largo ma non tanto.*
- Antonio Vivaldi, *Concerto n° 1 en mi majeur, op. 8*, RV 269, « La primavera » (Le Printemps), 1er mouvement, *allegro.*

## MATHIEU BOUTIN

Si vous lisez cette page, c'est que, ou bien vous venez de terminer la lecture de ce roman — et dans ce cas, toutes mes félicitations —, ou bien vous êtes encore dans la librairie en train de vous demander si vous devriez l'acheter, ou encore, vous avez sauté à la fin pour voir comment ça finissait.

Aux indécis, je recommande de regarder la couverture. Malgré ce qu'on dit, ça demeure la meilleure façon de juger d'un livre. C'est comme l'étiquette pour une bouteille de vin. Elle me plaît ? J'achète.

Aux tricheurs qui ont sauté à la fin, puisque votre temps est à ce point précieux, voici comment ça finit : le jeune garçon qui était perdu a été retrouvé, mais trop tard, son petit chien était mort, malheureusement.

Pour les autres, je vous suggère une relecture. Cette fois, en écoutant des enregistrements des pièces de musique auxquelles on fait référence dans le roman. Si ce roman était un film, ces œuvres en seraient la trame sonore. Ç'a été fait exprès. La liste se trouve à la page 257.

Enfin, pour en apprendre davantage sur la genèse de ce roman ou pour laisser savoir à l'auteur ce que vous en avez pensé, visitez www.mathieuboutin.com

ACHEVÉ D'IMPRIMER EN MARS 2013
SUR DU PAPIER 100 % RECYCLÉ
SUR LES PRESSES DE MARQUIS IMPRIMEUR,
QUÉBEC, CANADA.